にほん的

chic and fancy Japan

それは、ジミでハデなこと

松田行正

河出書房新社

にほん的

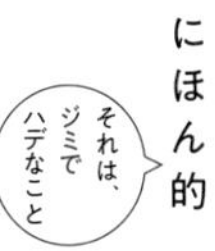

もくじ

はじめに

周縁から中心へ

日本での住所の書き方（ただし、中国も韓国も同じ）は、東京都の場合でいうと、東京都からはじまって、○○区○○町○丁目○番地にマンション名に部屋番号となる。ところが欧米では逆。つまり、部屋番号か番地を最初に書いてから最後に都市名、国名と続く。日付もそうだ。ヨーロッパでは曜日・日・月・年の順にあらわす（アメリカでは、「Tuesday, September 11, 2001」のように、曜日・月日・年の順）。

例がマニアックで恐縮するが、政権を獲ったあとのヒトラーは、国民にプロパガンダを徹底するために安価なラジオを開発させた。その最初の機種名が「VE301」。この「301」はヒトラーが首相に指名された一九三三年一月三〇日の日付からつけられている。三〇日一月だ。この発想はわれわれにはない。まあ、ヒトラーの例を知っていたからといって単なるウンチクに終わるだけだが、さまざまなパスワードを考えるとき欧米式の日付の書き方もヒントになるだろう。

自分の住んでいる家から語るこの欧米方式は、一神教的世界観からきているのかもしれない。まず中心（自分のいるところ）が重要でそれから周縁に目（意識）が向かう。中心から周縁へ、という流れだ。中国もその名のとおり中心から発想する。一方、日本は、周縁から中心へ、となる。特に日本は島国ゆえ、その傾向が強まった（韓国は、後述する、韓国の学者による日本のその発想への揶揄があるくらいだから、おそらく違う）。

ミニチュア志向

石川啄木の短歌に、「東海の小島の磯の白砂に／われ泣きぬれて／蟹とたはむる」（『一握の砂』所収）という歌がある。これもまさに住所の書き方と同じで、周縁から中心へと向かっている。

住所や日付以外にもこの発想を適用する日本文化にたいして、韓国の学者、李御寧さんは「「縮み」の文化」といった（『「縮み」志向の日本人』）。「縮み」とは言い得て妙だ。つまり、ミニチュア志向、悪くいえば、島国根性である。

日本は、当初中国から「倭（わ）」とよばれた。「倭」は従順な様子をあらわしている。中国が日本を見下したから、とか日本が遠方にあったから、などの説がある。漢字が記された出土品「漢委奴国王印（かんのわのなのこくおういん）」には「委（倭）」に「奴」もついている。中国はとうの昔からすでに国家の態（てい）を成していたので、まだ国家の基盤が心許ない日本を下にみるのはいたしかたない。

だが、日本にも徐々に自立心が芽生え、日本のことを「和」と呼ぶようになった。「わ」は「われわれ・わたし」「我・吾」の「わ」。自分のことを指している（地方によっては相手のことを指す場合もあるが）。ちなみに、足し算の答えも「和」という。「和」には、「（声や調子、心を）合わせる」意があり、これが「違いをうまくまとめる」と転化し、足し算の答えに使われるようになった。これも、日本における異文化受容の仕方を示唆しているように思える。

ともかく、今から思えば絶妙なネーミングである。意味的には国名が「わが国」ということになる。中心の国としての「中国」と比べれば、ここにも大陸と離れた島国という、縮こまった、一生懸命自己主張しているニュアンスを感じる。

ただし、縮こまっているからといって、「ミニチュア志向」もそんなに揶揄されるほどのことでもない。

ミニチュア志向とは、好きなものを現物でなくてもいいから手もと、手の届くところに置いておきたいことからきている。日本はもともと「坐」の生活だから、いちいち立ち上がらなくてすむ手の届く範囲を好んだ。無限に広がる大陸と違って、周りが海に囲まれていることからでてくる閉じた発想であり、フットワークは悪いが手の届く範囲への偏愛度は高い。例の「かわいい」も、ミニチュア志向のあらわれのひとつだろう。

「手ごろ・ころあい」の「ころ」もそうだ。触覚の美を唱えた千利休(せんのりきゅう)は、この「ころ」のいい回しをよく使ったという。五感のうち視覚がいちばん遠方で、聴覚、嗅覚(きゅうかく)と近づいてきて、触覚で手もとにたどりつく。これが「ころ」。ミニチュアは触覚の楽しさでもあった。

島国根性

「島国根性」も、それほど悪くない。なにしろ大陸とは近すぎず、遠すぎない。

支配するために大軍を送るには遠すぎるし、ちょっとした行き来には遠すぎない。大陸と適度な距離感を保っている。この距離感は、後述する「間」とも連動する。

長谷川櫂さんは、「和」とは「異質なものを共存させる和の力」だとして、島国であることが日本人の創造力の源と説き、三つの理由を挙げている。

この国が緑の野山と青い海原のほか何もない、いわば空白の島国だったこと。次にこの島々に海を渡ってさまざまな人々と文化が渡来したこと。そして、この島国の夏は異様に蒸し暑く、人々は蒸し暑さを嫌い、涼しさを好む感覚を身につけていったこと。こうして、日本人は物と物、人と人、さらには神と神のあいだに間をとることを覚え、この間が異質のものを共存させる和の力を生み出していった。（長谷川櫂『和の思想』）

この「間」とは余白のことであり、適度な距離感が、絶妙の「空間」観を生みだした。日本を囲む海はその「間・余白」のシンボルでもある。

余白は、長谷川等伯、俵屋宗達、尾形光琳らの、背景を消して対象を浮かび上がらせる手法や、歌川広重（うたがわひろしげ）、葛飾北斎（かつしかほくさい）らの、前景を大きく、後景を小さく描く手法につながっていった。垂直軸と水平軸が際立つ大陸とは違って、シンメトリー概念が生じにくい、起伏に富んだ「緑の野山」があってこその日本の「空間」観である。

そしてなにより、なんでも吸収できるスポンジのような「空っぽ」の島だったことが重要、という指摘である。

長谷川さんは続ける。

> 和の力とはこの空白の島々に海を越えて次々に渡来する文化を喜んで迎え入れ（受容）、そのなかから暑苦しくないものを選び出し（選択）、さらに涼しいように作り変える（変容）という三つの働きのことである。和とはこの三つが合わさった運動体なのだ。（長谷川、前掲書）

したがって、現在のグローバリズムの動向にうまく乗れていないのも、この「受容・選択・変容」がうまく機能していないからなのではないかと思われる。

「グローバリズム」ということの理解が、すべてが世界標準に、等質になること、という勘違いにある。それは同化の強要であり、逆に異質なもの、あるいは過去の排除に向かいやすい。

グローバリズムは、長谷川さんのいう「受容・選択・変容」を経て血となり、肉となる。それが島国における「異質」の楽しみ方であり、「間」の論理なのだ。「和風」「和式」などのことばも、明治の欧化政策による過去の否定の文脈で生まれたものだった（長谷川、前掲書）。

しかし、長谷川さんがいうように、日本は「受容・選択・変容」の文化。ラーメンも「受容・選択・変容」によって生まれた日本式中華であり、ナポリタンも日本風パスタ。洋式トイレというが、ウォシュレット付きのトイレはいわば和式トイレといえる。したがって、純然たる洋風は日本には少ない。基本が「受容・選択・変容」による和風だから。

脱亜入欧

この過去の文化を「和風」として封じ込めようとした明治時代の風潮も島国根

性から発した劣等感のように思える。

明治になって、舶来信仰とともに、「脱亜入欧」、つまり自分たちをヨーロッパ=白人になぞらえて近代化に邁進した。一方で、アメリカでは中国人排斥が進み、日本人排斥も時間の問題だったが。

そして、日露戦争で大国ロシアに勝ち、とうとう列強の仲間入りを果たした、と勘違いしてしまった。もうアジア人ではない、憧れの欧米列強のような帝国主義を担う存在となった、である。

日露戦争は、日英同盟の関係上イギリスが手助けしてくれたことが大きく、国力が疲弊してどうしようもないときにちょうどアメリカが仲裁に入ってくれたおかげでの勝利である。これを機にちゃんとした国家イメージを持てればよかったのだが、天狗になる一方で、アジアに強く、欧米には弱い体質はこのときから続いている。

もともとミニチュア志向だったはずの日本が、日露戦争で勝利したことで勘違いした、と述べたが、昭和に入ると、妄想、あるいは上から目線がより嵩じて「王道楽土」「五族協和」と唱えるようになってしまった。ミニチュア志向と相反する方向をめざしはじめたのだった。挙げ句の果てに「大東亜共栄圏」の大風呂敷を広げて、とうとう日本を破滅に導いた。

「共栄圏」といっても共に栄えるわけではない。日本ファーストであり、欧米をアジアから取り除いて、アジアの盟主たらんとする勝手な妄想である。

つい最近（二〇一九）、敗戦の教訓を無にするようなことが起きた。一国を代表して駐在している隣国の駐日大使を「無礼だ」というためだけに呼びつけた（信じがたい）外務大臣がいたのだった（彼はいっとき脱原発を唱えていたが、閣僚になったとたんすべての言説を封印してしまった）。やはり上から目線・思い上がり体質は、改まっていなかった。

違いを楽しむ

本書では、以下の一〇項目に焦点を当てた。

動――日本の絵画における運動している様子のあらわし方について。
奥――物理的な奥を示していない「奥」ということばの意味について。
触――紙の手触りと利休が発見した手触りについて。

律――五七調における日本のテンポ感について。
影――ヨーロッパの画家に感動を与えた浮世絵の平面絵画と影の関係について。
余――日本文化を語るのにはずせない「間」について。
結――注連縄（しめなわ）に代表される「結び」の哲学について。
周――中心よりも周縁を重視する表現について。
張――近景と遠景による表現の強弱のつけ方について。
縦――日本文化の精神的バックボーンとなっている文字の組み方について。

こうした日本文化の特徴を代表するものとして、本書で何度も言及しているひらがなの発明を挙げたい。前述した島国であること、季節感などが外来文化にたいする接し方を左右し、外来文化をそのまま受容せずに、自分たちの風土に合うようにアレンジしてきた。そのひとつがひらがなだった。

ひらがなは、主に女性たちの試行錯誤から生まれた。彼女たちは、集まって相談してひらがなをつくったわけではない。個々のブレイン・ストーミング（相手のことを否定しないで盛り立てる）的忖度（他者を思いやる「忖度」は、今では「官僚による忖度」として地に堕ちてしまった）でレベルアップしていったのだ。つまり、「推理力・想像力・創造力」によって。

本書で触れている「点景」もその忖度（推理力・想像力・創造力）で成り立っているように思える。点景には主語、つまり中心がない。個々の風景が主語だから。その個々をつなぐのが、ほかの状況を考えられる「推理力・想像力・創造力」。ひらがなの発明はその見事な開花だといえる。

本書では日本文化をしばしば西洋文化と比較している。環境が違えば文化も当然変わる。違っていて当たり前の世界に接したとき、忌避するのではなく、ひらがな的受容の仕方を用いれば、違いを違いとして楽しみつつ（イギリスが離脱したEUの理念も最初はこんな感じだったのだろうか）、自分流にアレンジする楽しみも加わる。

そのための重要な動力源は、本書の通奏低音となっている、「推理力・想像力・創造力」である。上から目線・思い上がり体質を改め、真のグローバルな人間になるためには、違いばかりをあげつらうのではなく、かつての日本文化のように、違いを楽しむことが必要な気がする。

一章 動

運動の描き方

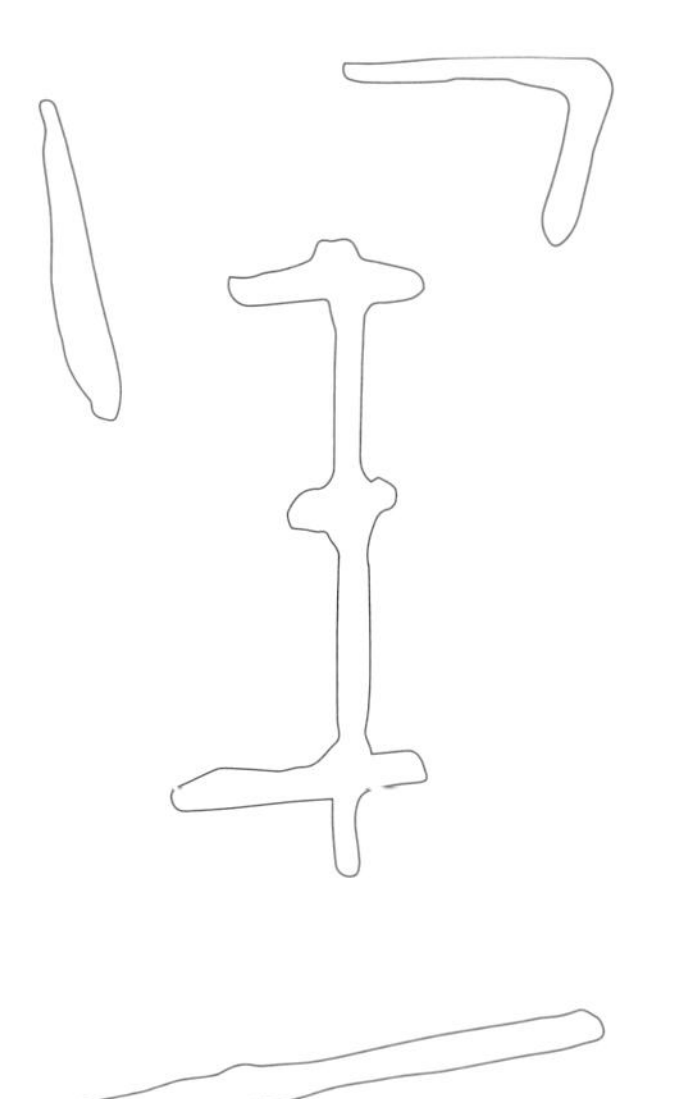
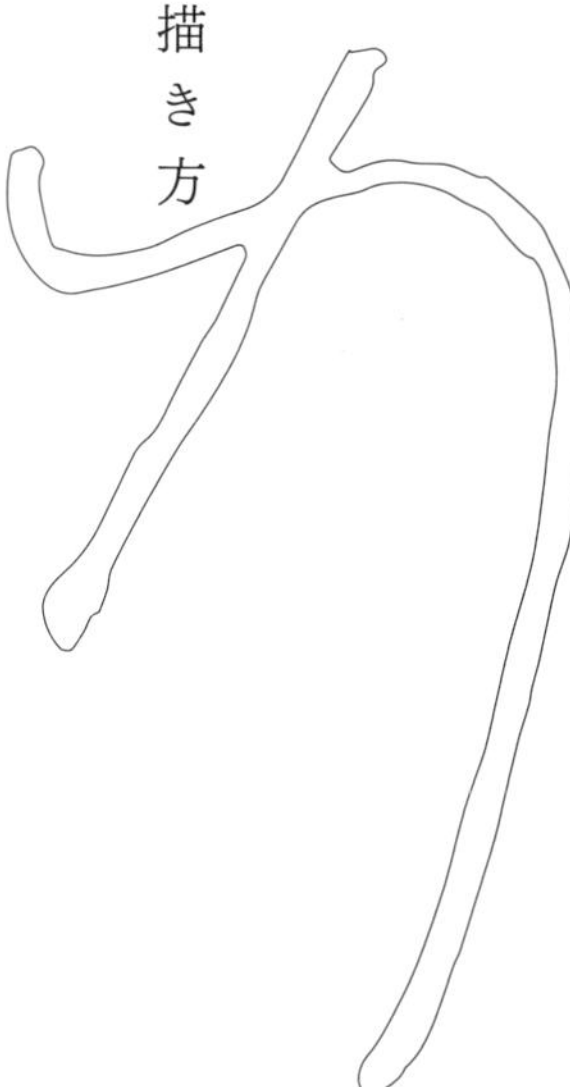

日本のマンガの運動表現

日本のマンガは、いつのころからか世界中で人気となっている。里中満智子（さとなかまちこ）さんによると、一九七〇年代に、日本の出版社が、マンガをアメリカに売り込もうとしたころは、モノクロばかりで色がない、内容も情けない話が多く（『ドラえもん』のこと）つまらない、これは「コミック」ではない、とアメリカの出版社にいわれたそうだ。アメコミのカラーやヒーローものが当たり前と思っていたからだろう。

それから数十年後、日本のマンガは世界で市民権を得た。その理由はいくつかある。ストーリーテリングが優れていた、というのが一番の理由だが、描画表現もきわめてユニークだったこともある。

たとえば、大胆なコマ割り、シンプルながら感情表現の多彩さ、などが挙げられる。手塚治虫さんの『マンガの描（か）き方』が与えた影響も大きい（左ページ）。

そのなかでも運動表現の工夫は特筆すべきものがあった。いかに「動いている」ように見せるか、である。その主な方法は、残像の描き方が中心となる。たとえば、うなずいたときの顔の輪郭の一部をだぶらせる、など。

手塚治虫さんによる多彩な表情の描き方。

上）赤塚不二夫さんによる残像を利用した運動表現。
下）手塚治虫さんの、タイヤがだ円になり、背景がひしゃげて走る車の表現。

その先駆者として、前出の手塚さんや赤塚不二夫さんがいた。たとえば、赤塚さんは、手足を何本も描く方法などの残像表現に秀でていた（右ページ上）。手塚さんは、車のタイヤをだ円に、背景の建物を車の進行方向とは逆にひしゃげて、走る車を表現していた（右ページ下）。

太古の運動表現

このような運動表現は、人類が表現することに目覚めて以来、さまざまに工夫されてきた。太古の洞窟画や岩絵を見ると、五本以上の足や複数の尾を持つ動物、何頭も輪郭が重ねられた動物、縦や横に伸びたアンバランスなヒトの絵が残されている（次ページ）。

縦や横に伸びたアンバランスなヒトというのは、動きの残像をそのまま輪郭ではなく面であらわそうとしたため変形してしまったと思われる。前に進むと胸は前方に伸び、胴も長くなり、足も伸びる。走っているときは何本もの足が重なり、太ももやふくらはぎが太くなる。まさしく抽象表現の先取りといってもよいだろう。何か強烈な力の圧力で、このようにひしゃげてしまう。そんなイメージだ。

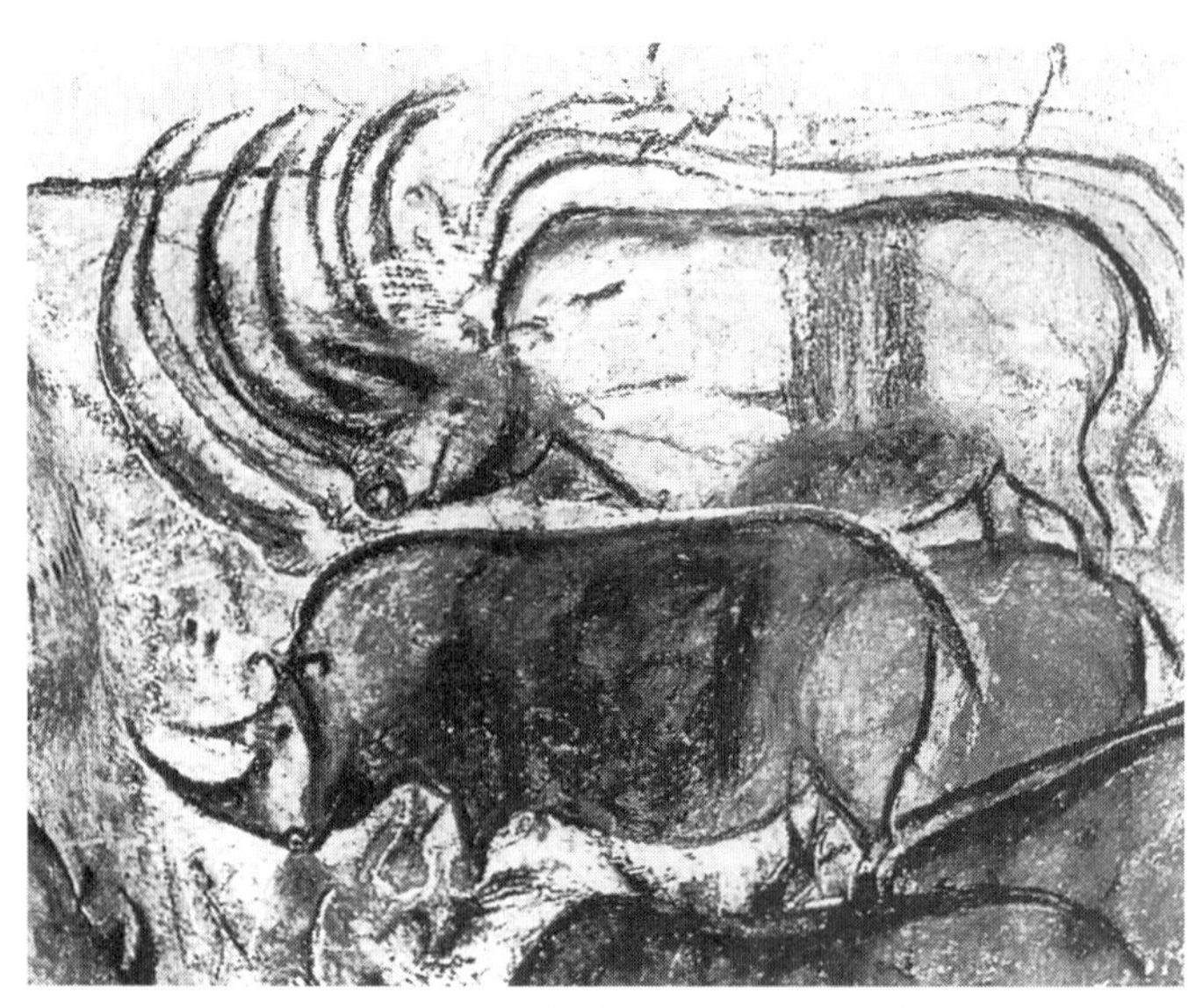

上）フランスで発見された３万年以上前の洞窟画。
中）スペインで発見された６本足と２本の尾を持つ牡牛。動いている様子の表現。
下）動きをあらわしたために胴が伸びたり、足が太くなったりしている。

歪んだ人体といえば、シュルレアリスムの画家サルバドール・ダリの「柔らかい時計」の、一連の硬いはずのものがグニャグニャにされた絵画が思いだされる。ダリも時間の流れを表現しているというから、まさに太古の岩絵につながっているのかもしれない。

このような動きをあらわすための重要なポイントは、記憶をもとにして描いた、ということだろう。特に洞窟画というものは、当たり前だが、洞窟に入って描くので、観察したのではなく、記憶で描いている。

目の前で繰り広げられている情景をその場で描くとしたら、どうしても切り取られた一瞬になってしまう。その切り取られた一瞬は静止画となり、そのとき感じた臨場感をそのまま再現するのは難しい。

しかし、思いだしながら描けば臨場感も再現しやすくなる。別の日に体験した情景も同じ絵のなかに加えるなど、記憶を総動員できる。

ちなみに先ほどのダリの「柔らかい時計」のタイトルは〈記憶の固執〉(一九三一)。記憶に基づいて描いていることをそのまま表明している。

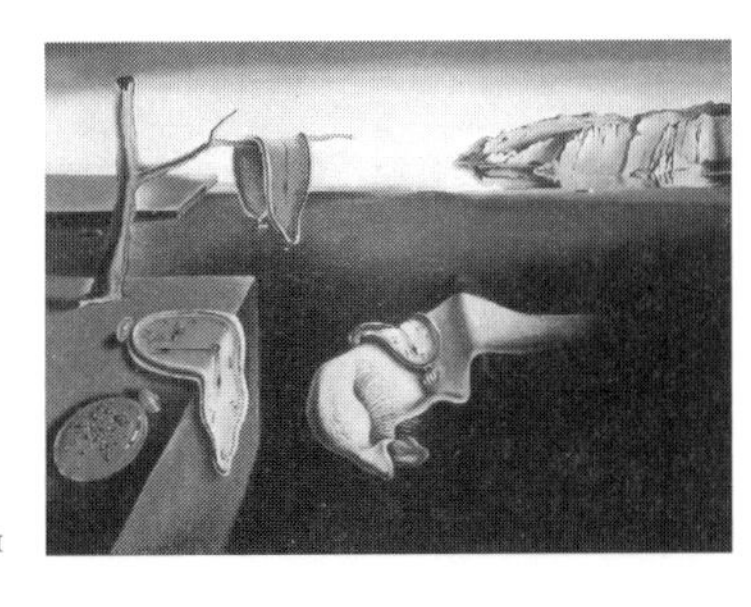

サルバドール・ダリ
〈記憶の固執〉1931。

西洋の運動表現

このような運動表現を、西洋美術史のなかに探してみると、だいぶ後世になってからあらわれたことがわかる。

中世ヨーロッパは暗黒の時代とよくいわれるが、芸術表現にとっても暗黒だった。比喩的にいえば、視覚も含めた五感のすべてを神にゆだねていた時代である。神が感じたことを感じ、視、聴く。そんな信仰生活が何世紀も社会全体を覆(おお)っていたのだった。

そして、天変地異やペスト禍などで、聖職者ですら助からない状況が続き、神は当てにならないとして、神の権威が揺らぎはじめた一四世紀、イタリアでルネサンスが興った。神の視点ではなく、自らの眼でものを視ようとするムーブメントである。消失点が神のいる天ではなく、地上にあるとした遠近法は生まれるべくして生まれたといえる。

レオナルド・ダ・ヴィンチは、骨格の研究の延長で、運動のしくみも考究した。洞窟画や岩絵以来の五本以上の足を持つ馬の絵も描いた(右下)。〈モナリザ〉(一五

レオナルド・ダ・ヴィンチ
〈躍りあがる馬の素描〉。15世紀後半。

〇三〜〇六ごろ）にも使われている、フェイズ（面）とフェイズを自然につなげることができる、スフマートと呼ばれたぼかし技（輪郭線を使わない描き方）も開発した。

ダ・ヴィンチ以降の画家にとってスフマートは基本技術となった。ヨハネス・フェルメールは、〈牛乳を注ぐ女〉（一六六〇ごろ）で壺から注がれる牛乳を描いている。ここにもスフマートが使われている。絵を凝視すると左腕が少しぶれているようにもみえる。牛乳の滴りにも部分的に「溜まり」ができていて、それも動きを感じさせる。

一九世紀、ジョゼフ・マロード・ウィリアム・ターー

フェルメール〈牛乳を注ぐ女〉1660 ごろ。

ナーは、スフマートを発展させ、輪郭をはっきり描かないで、ぼかすことで動きをあらわした。臨場感溢れる疾走する蒸気機関車の絵などがそのよい例だ。

ターナーが開発した空気感の表現は、クロード・モネの〈サン・ラザール駅〉シリーズ（一八七〇年代後半）の、モクモクと立ち上がる蒸気機関車の煙でも再現されている。

同じモネの〈キャピュシーヌ大通り〉（一八七三〜七四）では、散歩する人びとをブレさせて動きを表現している。この絵は第一回印象派展に出品された。同時に出品されたモネ〈印象・日の出〉（一八七二）は、評論家からヘタクソに見えるけど「印象」なんだから仕方ないよね、などと評され、ここからこの展覧会の出品者を「印象派」と呼ぶようになった。同様に、この〈キャピュシーヌ大通り〉も、人をちゃんと描いていない、ラフだと

上）ターナー〈雨、蒸気、速度——グレート・ウェスタン鉄道〉1844。
下）モネ〈サン・ラザール駅〉1877。

モネ〈キャピュシーヌ大通り〉1873 ～ 74。

酷評された。もちろん、人びとの動きを感じさせてすばらしい、という評論家もいた。

一方、エドガー・ドガは、〈踊りの花形〉（「エトワール、あるいは舞台の踊り子」とも呼ばれる）〉（一八七八ごろ）では、中心にいるダンサーではなく、周囲をブレさせることで動きを表現している。

こうした流れのなかで、運動感を如実にあらわした表現があらわれた。生理学者エティエンヌ＝ジュール・マレーの、動きのプロセスを一枚の写真に収めたものや、エドワード・マイブリッジの連続写真、つまりコマ撮りだ（写真術は一九三九年に発明されている）。ただし彼らの写真作成の動機は、マレーが生理学的研究のため、マイブリッジも芸術的興味というよりも人間や動物の生態の研究としてだった。

ドガ〈踊りの花形〉（「エトワール、あるいは舞台の踊り子」とも呼ばれる）1878ごろ。

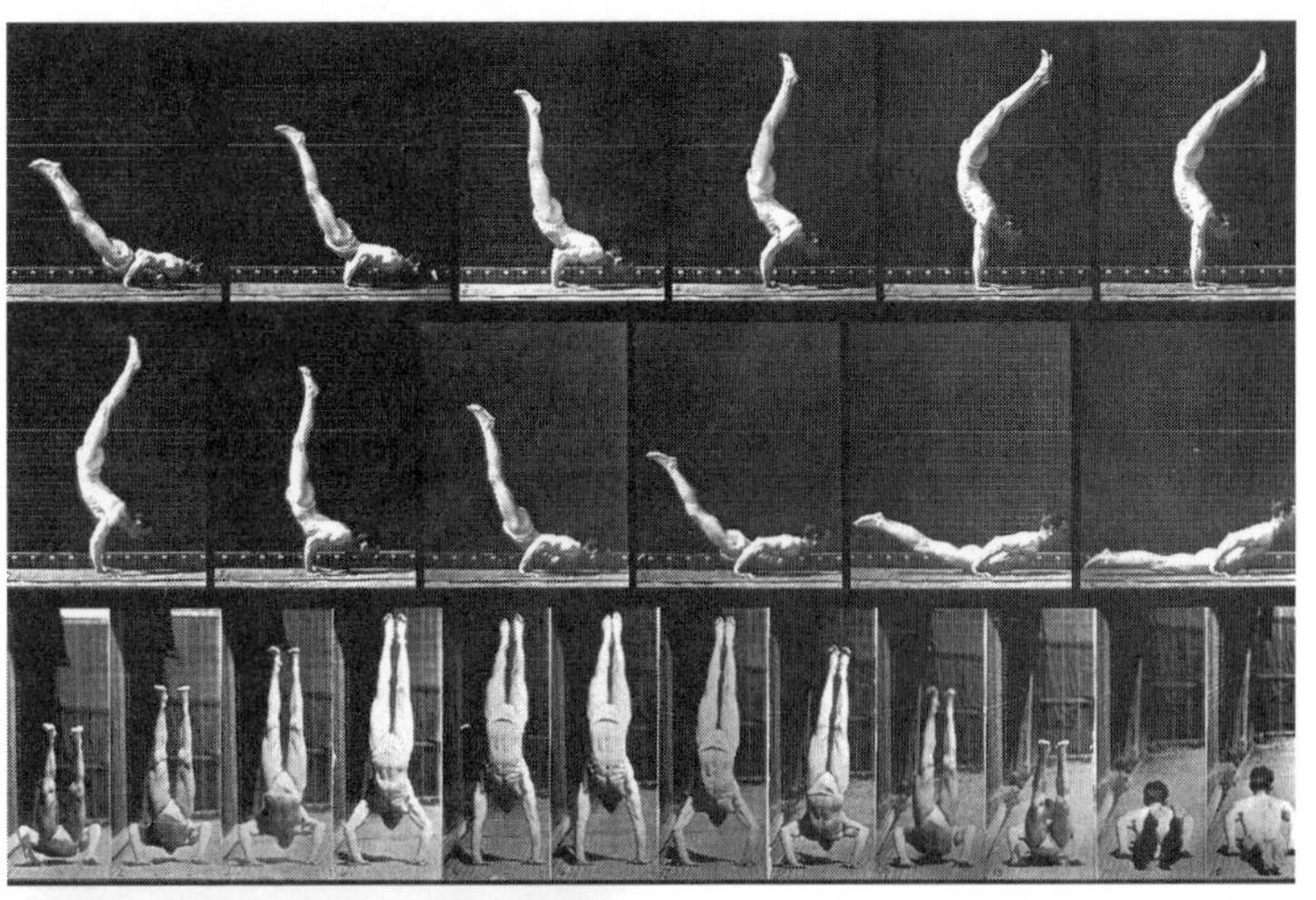

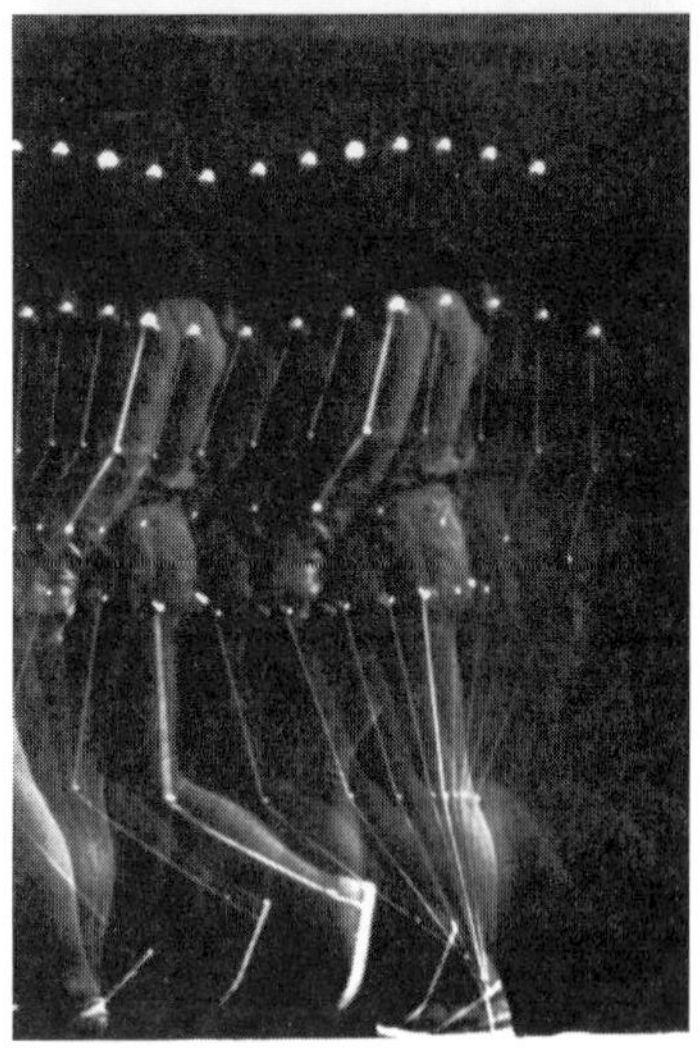

そして、二〇世紀初頭、過去の芸術などを全否定し、「速度」を重要なテーマとした前衛芸術運動、未来派が興った。その中心人物の一人、ジャコモ・バッラは、〈鎖に繋がれた犬のダイナミズム〉(一九一二)を描いた。そこではマレー的表現、つまり犬の動きをあらわすために、

上)マイブリッジの連続写真。
下)マレーは、黒装束の助手にテープを貼って歩かせ、撮影した。

足を何本も描く方法をとった。これが未来派の主な表現技法となる。ドタバタする犬は、赤塚不二夫の手法を思わせる。

ちょうど同じころ、マルセル・デュシャンも〈階段を降りる裸体No.2〉(一九一二)で、マレー的表現を使った。デュシャンと未来派との直接の関わりはなかったので、同時多発的に生じたようだ。むしろマレー的表現が熟成期間を経て開花した、といってよいかもしれない。

上）ジャコモ・バッラ〈鎖に繋がれた犬のダイナミズム〉1912。
下）マルセル・デュシャン〈階段を降りる裸体No.2〉1912。

日本に逆輸入された表現

日本では、逆輸入によってその真価を知る、というパターンが残念ながら多い。浮世絵もそうだ。明治維新によって江戸の文化の一部が否定された。そのなかに浮世絵も含まれていたが、フランスでジャポニスム、つまり日本びいきのブームが起きた。ゴッホをはじめとする多くの画家が浮世絵のレイアウト感覚、二次元絵画に感動したのだった。

ロシア革命後のソ連のプロパガンダ・マガジンのデザインを主導していたエル・リシツキーも浮世絵のレイアウトに感化された一人。いや、浮世絵に直接影響を受けたというよりは、ゴッホやロートレックらのジャポニスムの影響だろう。

そのプロパガンダ・マガジンの影響をもろに受けたのが日本の戦時中のプロパガンダ・マガジン『FRONT』。浮世絵のレイアウト感覚はリシツキーを経て、逆輸入されて、戦後のGHQからも称賛された日本のプロパガンダ・マガジンのデザインを生んだのだった。

未来派宣言も、宣言の三ヶ月後、森鷗外によっていち早く翻訳され、それに影響を受けた高橋新吉、萩原恭次郎らがダダイストとなる。未来派は、運動表現ばかりではなく、マリネッティによる文字を自由に散らすレイアウトでも知られている。しかし、これも平安時代の分かち書きに通じているといったらいい過ぎだろうか（下）。

日本の運動表現

日本における、マレーやマイブリッジ的運動表現は、一二世紀にすでに登場している。

鎌倉時代中期の〈九相詩絵巻（くそうしえまき）〉は、小野小町の死後の遺体の変成が九枚の絵に描き分けられている。そこでは、死んだばかりの小野小町のまだ生きているような様子にはじまり、徐々に朽ち、骨になって消滅していくさまが描かれている。生の変化は緩慢だが、死後の変化は急速で、観察しながら描いていると思わせるほどの精緻な筆さばきだ。まさに死後のコマ撮りである。

そして、〈信貴山縁起絵巻（しぎさんえんぎえまき）　延喜加持巻（えんぎかじのまき）　虚空を疾走する剣の護法〉、

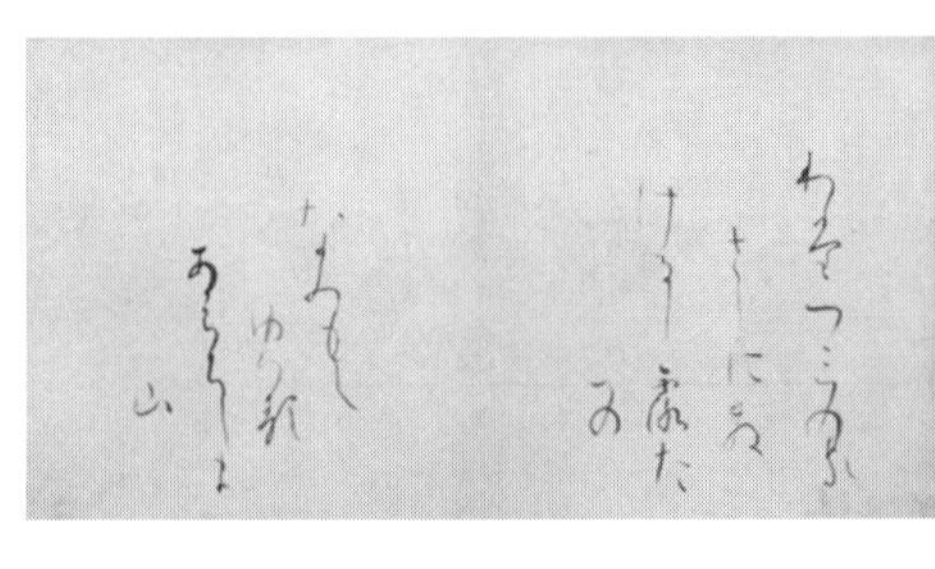

右）フィリッポ・トンマーゾ・マリネッティ〈Zang Tumb Tumb〉1914、表紙。
上）伝小野道風（おののみちかぜ）筆の分かち書き、10世紀。

上）小野小町の死後の様子を描いた〈九相詩絵巻〉鎌倉時代中期、部分。
左）〈信貴山縁起絵巻延喜加持巻　虚空を疾走する剣の護法〉12世紀、部分。

これも一二世紀の作。絵巻物なので、右から左へ展開していくなかで、童子が左から右へと時間を逆行するように車輪を転がしている（前ページ）。この車輪は、何重にもだぶって、転がっているさまが描かれている。赤塚不二夫か手塚治虫の先取りといっても過言ではないだろう。

江戸時代初期の俵屋宗達に、版木に絵の具（宗達の場合は、金銀の粉末を膠の入った水で溶かした金泥・銀泥と呼ばれた絵の具）をつけてスタンプのように複数押して動きをあらわした絵巻が残っている（下）。この〈鶴図下絵和歌巻〉（一七世紀、書は本阿弥光悦）は、鶴はスタンプなので同じ絵ながら、重なり合っている。鶴が飛び立っていくさまは、前出のマレーの連続画像を思わせる。ここからパターンが運動を感じさせることがわかる。

日本の装飾による動き

日本の装飾には、動きを感じさせる文様（パターン）が多い。なかでも青海波、霞、雨、さざ波、観世水、露芝などの波文・流水文は、流れゆく水の一瞬の表情を豊かに描いている。まさに鴨長明の『方丈記』の冒頭「ゆく河の流れは絶えず

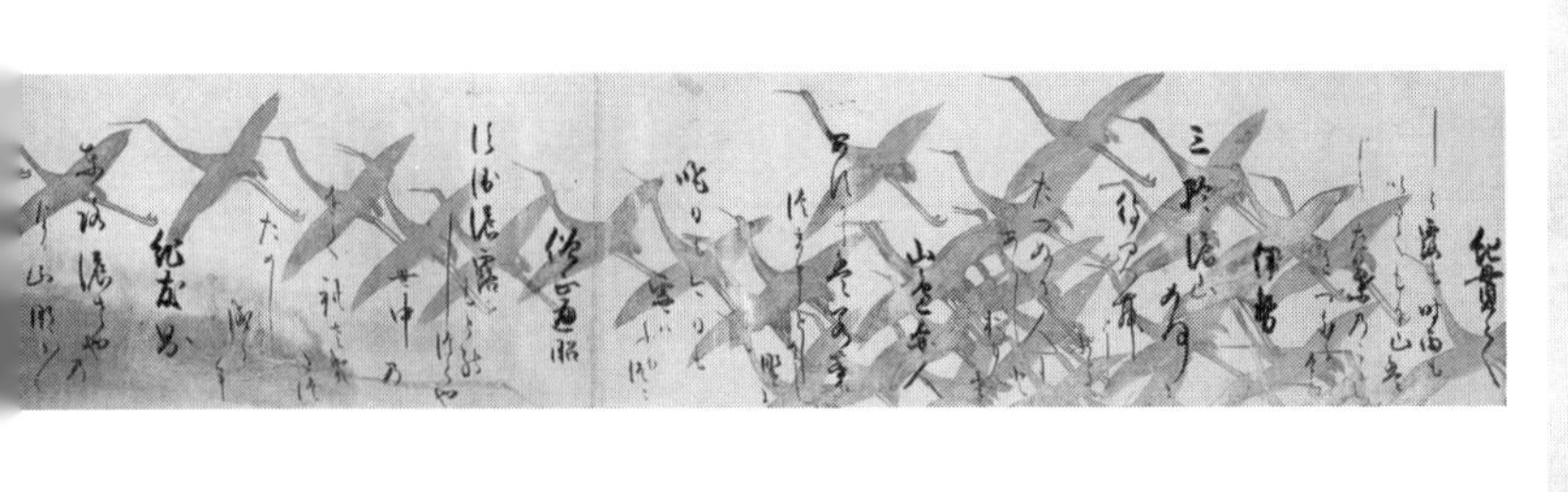

俵屋宗達〈鶴図下絵和歌巻〉（書は本阿弥光悦）、17 世紀。

して、しかももとの水にあらず。よどみに浮かぶうたかたは、かつ消えかつ結びて、久しくとどまりたるためしなし」を彷彿(ほうふつ)させる。

これは、水や流れが持つさまざまな表情をすべて写しとりたい、という欲望のあらわれでもある。西洋の、(キリスト教の考えが大きく反映されているが)自然に打ち勝ち支配する、という発想にたいして、日本では、外の風景を自分たちの庭の一部にする借景など、自然と融和しようとする発想が強い。

上右から、青海波、霞、雨、下右から、さざ波、観世水、露芝。

「雨」文様としては、歌川広重〈名所江戸百景　大はしあたけの夕立〉（一八五七）が知られている。そのあたかも夕立の激しさがせまってくるような表現は見事。ゴッホもこの絵を模写しているが、雨が激しく降っているさまは広重のほうが一枚上手（ただし、広重にはない橋脚のハイライトはゴッホらしい）。

「青海波」文様は、もともとは、古代ペルシャを発祥として、中国経由で飛鳥時代の日本にやってきた、とされているが、日本で「水を得た魚」のようにさまざまなヴァリエーションを生みだした。日本の青海波文様の特徴は、多重円。発祥の地の青海波は、円のなかに点の入ったものが多く、日本のほうが寄せる波の表現に長けている気がする。

　一九世紀後半の江戸末期から明治にかけて、日本から数多くの文物がヨーロッパに輸出されジャポニス

ム・ブームが起きたことはすでに触れたが、そのなかに襖紙や千代紙などの紙製品も含まれていた。

一八九〇年代のアール・ヌーヴォーの時代、その襖紙や千代紙にプリントされていた文様が注目され、それらのアレンジが壁紙などになった。特にイギリスでは、そうした壁紙のことを「アングロ＝ジャパニーズ・スタイル」といい、さまざまなところで活用し、アール・ヌーヴォー時代の文様を支えることとなった。そのなかに青海波文様も含まれ、ちょうど「青は藍よりいでて藍より青し」を地で行く展開となった。

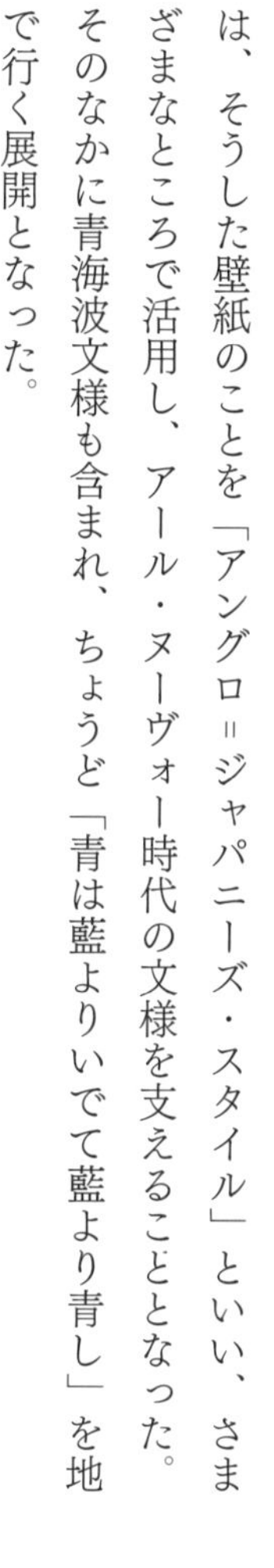

日本の運動表現のルーツ

こうした日本文化の、「動き」をあらわそうとする発想は、どのようなところから生まれたのだろうか。もちろん、四季の変化などの環境がもたらす影響は大きいが、「はじめに」でも触れたように、ひらがなの発明がかなり貢献したのではないかと思っている。

右ページ右）歌川広重〈名所江戸百景　大はしあたけの夕立〉1857。
右ページ左）ゴッホによる〈大はしあたけの夕立〉の模写、1887。
右）青海波島松遠帆文様縫箔、江戸時代、部分。

ひらがなは、平安時代に、主に宮中の女性が恋文や日記を書くために開発した。当時は、真名、つまり真の文字としての漢字が主流の時代。『万葉集』が編纂されたころはまだ「ひらがな」がなく、短歌には、同じ漢字ながら、漢字が持つ意味ではなく音だけで選ばれた「万葉仮名」を使っていた。これが「ひらがな」に変化し、女性たちがその発展に尽力した。男たちは、女性が主に使っていたところから、一段低くみて、真名にたいする「仮名」と呼んだ。男尊女卑そのものの呼び名だが、定着していくにつれて、そのニュアンスは消えていく。

ただし、漢文社会で低くみられたことでむしろ多くの表現の自由を得た。つまり、出発点において、男たちの多くから関心を持たれなかったおかげで自由に発想することができたのだ（男たちは、女性とつき合いたいがためにひらがなを使いはじめたらしい）。

そこから、分かち書きによる自由なレイアウトに加えて、漢字の二文字、三文字分のスペースをひらがな一文字で書くなど、四角ばった漢字の枠を超えた奔放な表現が生まれた。これが「動感」に敏感な文化を形づくっていったのではないかと思う。もちろん、ヨーロッパ中世のような、神によるしばりがなかったことも大きい。

二章

奥

日本文化の横長と奥

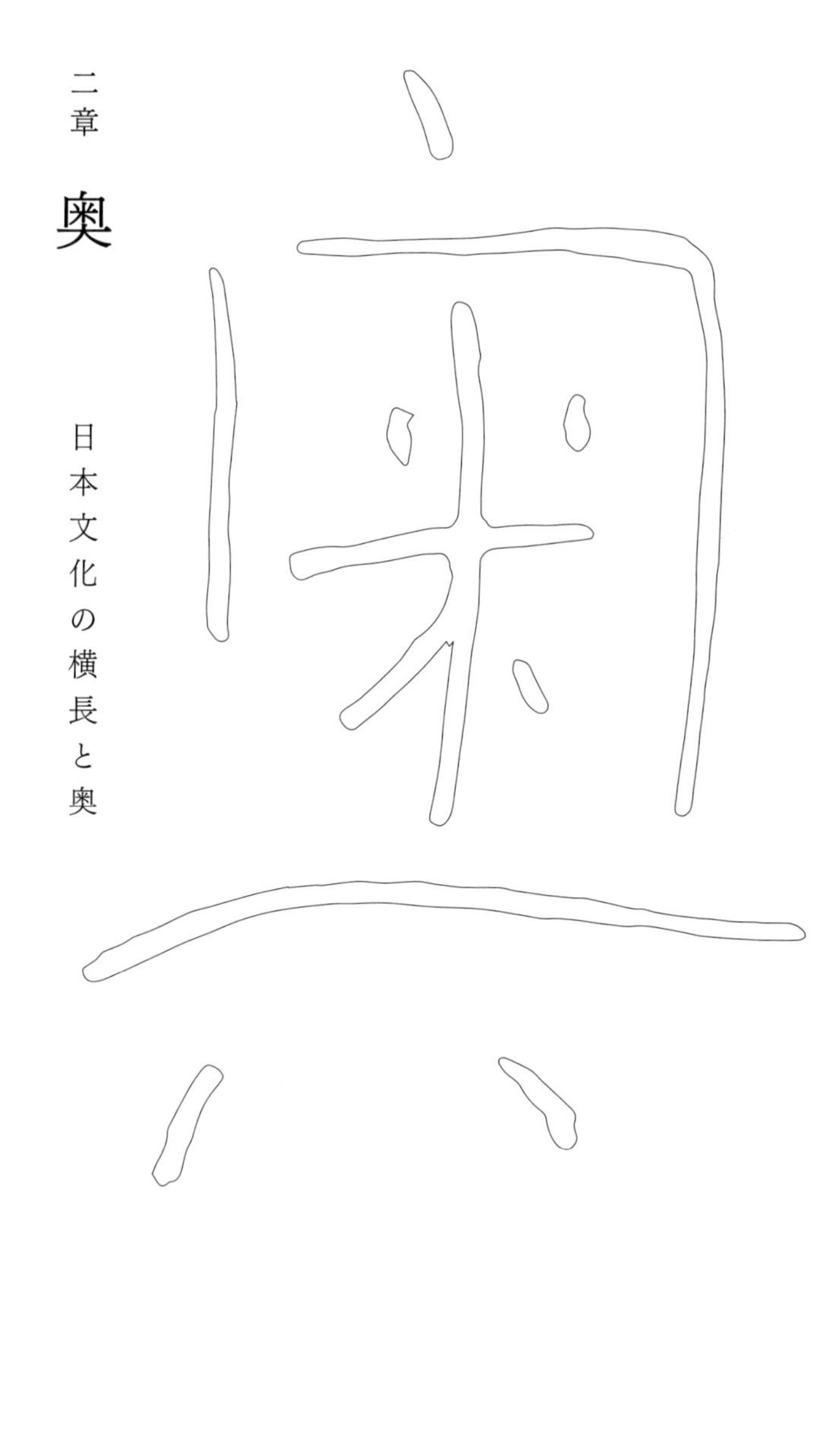

日本語の「奥」

日本語のなかに「奥（おう、おく）」がつくことばを探してみると、「奥地・奥処（おくか）・奥所（おくが）」に代表される「深い・最果て・行く末」という意味で使っている場合が多く見つかる。たとえば、日本列島の「奥深い」ところとして「奥州・奥羽」という具合。

「奥座敷・奥書院・奥帳場」も家（店）のなかの一番遠いところにある部屋のことをいう。そこには、そのなかで一番えらい人、主人や支配人などがたいていいる。また「奥付」も、本の最終ページのこと。

「奥義（おうぎ、おくぎ）をきわめる」は、学芸・武術の究極の理論。同義で「奥（おう）旨（し）・奥秘・奥意」。これらは、たどりつくことが困難という意味で奥深いからだ。その奥義が書かれている本は正統性がある、ということで由緒正しい文書「奥書」となる。

江戸時代、武家の家族が住むところは「奥」とよばれ、そこに奉公することを「奥勤め」といった。将軍やその周辺の人びとを診察したのは「奥医師」。江戸城に定期的に出勤して装飾画などを描いた御用絵師は「奥絵師」。大名の「奥」関連の仕事を仕切った家老は「奥家老」。将軍に仕えた小姓・坊主は「奥小姓・奥坊主」。女中は「奥女中」。将軍や大名の寝室などのある所は「奥御殿」。将軍や正妻、側室が居住したところは「大奥」。

「奥方」「奥様」「奥御前」というのもある。もともとは尊敬語だったが、ポルノ映画のタイトルにもひんぱんに使われて、なにやら妖しい印象がついてしまった。

また、厳格なイスラム教徒には、女性にたいして、夫以外の男性には肌を見せてはいけない、夫以外の男性と外を歩いてはいけない、という規則がある。この奥様の「奥」にも、これと似た女性蔑視のニュアンスを感じる。「奥に閉じ込めておく」、である。

「奥知恵」となると、「おそぢえ」のことでネガティブな意味となる。「奥手」もそうだ。「奥の手」となると、秘匿している技。謀略にも使われるとネガティブ感が浮上する。「奥目」も、くぼんだ目で、あまりほめてはいない。「奥底（おくそこ）」は、心に隠している秘密だ。

一方、「奥ゆかしい」となると、一転して心の奥深さが魅力的、というポジティブな意味になる。「奥行き」は、物理的な距離にも使うが、心の深さとしてポジティブな意味でも使われる。

このように、「奥」には、物理的に遠いことを示すこともないわけではないが、それ以上に「アンタッチャブル（触れてはいけない、触れられない）」、なにやら妖しい、あるいは普通ではないイメージの強さを感じる。このあたりの事情を西洋と東洋の宗教観の違いからみてみたい。

キリスト教会建築と宗教観

三一三年にローマ皇帝コンスタンティヌス帝がキリスト教を公認したことで、同時に、キリスト教会の建立も許されることとなった。

そこで、それまでローマ帝国が、集会や市場として使っていた横長の建物を教会として使うところからはじまった。ただし、横長ではなく、縦長として使った。入り口を横につくり、正面奥が祭壇となる。天に延びる垂直線を平面に投影したとき、手前が現世で、奥が天国になる、という想定だ。この奥に延びる教会建築

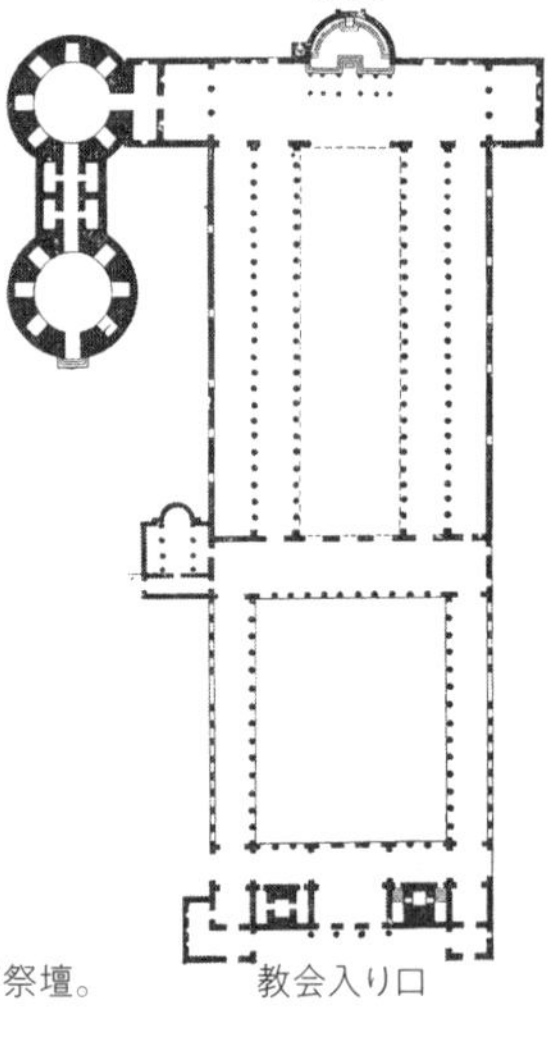

縦長のキリスト教会。
ローマのサン・ピエトロ教会の平面図、330。奥が祭壇。

という発想には、いずれ生まれる遠近法の考え方も含まれていた。

余談ながら、ヒトラーの総統官邸も道路に面した奥行きのない横長の建物だった。ヒトラーは奥行きのなさを解消するために、建物の横を正面入り口にした。いくつもの広い部屋を通過し、ギャラリー仕立ての長い廊下を経て、やっと総統執務室にたどりつく。これによって神秘性と威厳が高まった。うがった見方をすれば、外国政府関係者に長い距離を歩かせ、疲れさせて、無理難題を通しやすくしようとした、ともいえる。

なかには、あまり奥行きのとれない場所に建てられた教会もあった。ミラノにあるサン・サティロ教会（正式には、サンタ・マリア・プレッソ・サン・サティロ教会）は、祭壇の背後に、もっと奥行きがあるように見せるために、登場したばかりの透視画法を使ってだまし絵（トロンプ・ルイユ）を描いた（ドナト・ブラマンテ作）（次ページ）。そこまでしても神秘性を高めるために、奥行き感は大事だった。

ちなみに、本の上部のことも「天」（英語ではtop、headという。どちらも上位の意を含んでいる）というが、冊子型の本のはじまりは聖書だったので、聖書にも、教会建築と同じように、本の上部に奥のイメージを重ねているのかもしれない。

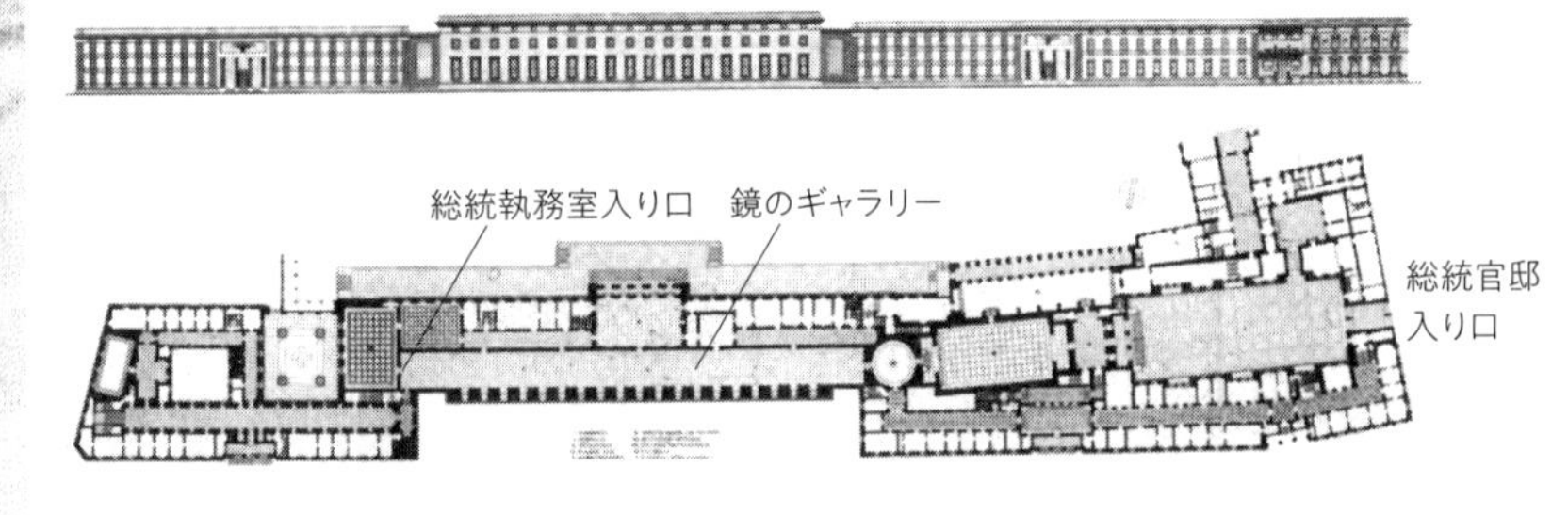

総統官邸平面図。

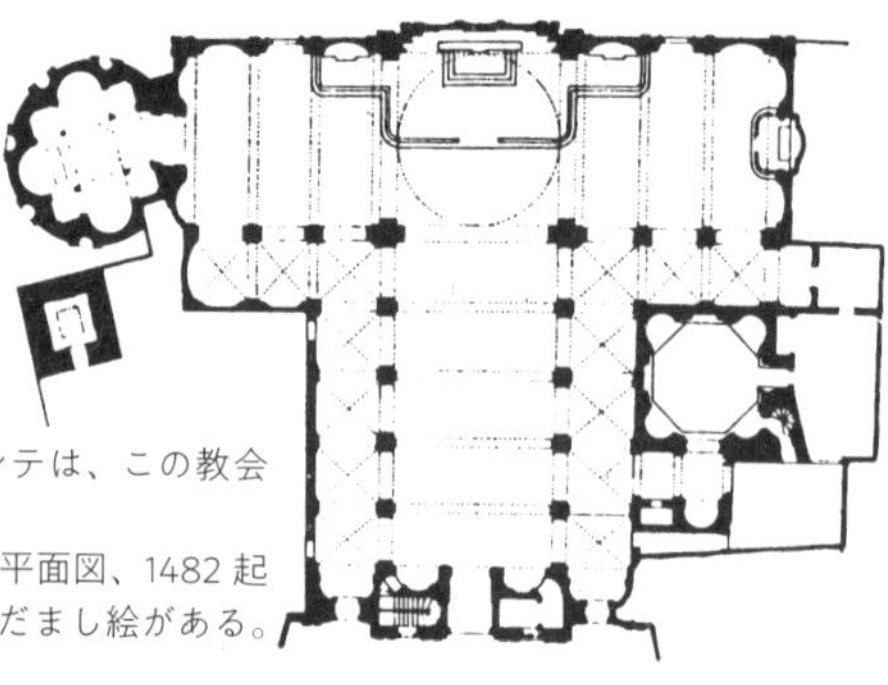

上・中）ミラノのサン・サティロ教会の祭壇部分の正面と、それを側面から見た写真。正面からだとあまりわからないが、側面では、壁に描かれた絵画であることがわかる。だまし絵を描いたブラマンテは、この教会も設計している。
右）サン・サティロ教会の平面図、1482起工。中央奥の祭壇の後ろにだまし絵がある。

教会の窓

当時の建築は、石をただ積み上げていくだけなので、横長の窓は技術的につくれない。そこで窓は、縦長ばかりとなった。採光を求めるためには上に建物が延びていくしかなかったのだ。

のちにヴォールトというアーチの建築法が開発されて、少ない柱でも天井を支えられるようになり、広い窓もつくれるようになったが、窓の形状はさほど変わらなかった。天に延びる垂直イメージはやはりはずせなかったのだろう。

一二世紀後半からはじまったゴシック建築ブームでは、その窓の縦長がより強調された。ゴシック建築は、なかなかキリスト教になじまない民衆を感化するために、森のイメージを借りた建築様式といわれている。かつて、民衆は森にいる精霊など多くの神に帰依していた。彼らがスムースにキリスト教に帰依できるように森らしさが欲しかった、つまり、帰依の環境を整えたのだった。

こうしたキリスト教会の窓は、たとえ縦長でなくアーチ状だったとしても、そこはステンドグラスで蔽われた。もちろん外を見るためのものではない。光がさんさんと注ぐよりは一条の光のほうが神秘的に感じる。したがって窓は、神秘性を保つためのぎりぎりの開口部、といったニュアンスが強い。

もともと中世ヨーロッパでは、ほかでも触れたが、五感は神のものであり、風景を楽しむ習慣はなかった。むしろ、窓から外を見るなんて考えもしなかった、といったほうが近い。

イギリスに、ピーピング・トム（覗き見トム）の伝説がある。

ある領主の夫人ゴダイヴァは、あるとき夫である領主の圧政をいさめた。領主は、あろうことか、裸で馬に乗って街を走ったら、圧政をやめてやる、という大人げない提案をした。ゴダイヴァは意を決してその提案をのんだ。民衆は夫人の恩義に応えるため、裸を見ないようにした。ところがトムだけは覗き見をした。

一一世紀ごろの伝説に、のちにトムの話が加わったらしいが、窓から外を見ることをいさめるための教訓話だろう。ちなみに、チョコレートメーカー、ゴディ

フランス、ノートルダム寺院のステンドグラス。

バの裸の女性が馬に乗っているロゴマークは、この話に由来している（下）。
また一四世紀、ヨーロッパを襲ったペスト禍のとき、窓から病気がやってくるとおそれられたことも窓を開けなかった理由のひとつ。そのため窓は、外にゴミを捨てるための単なる開口部となった。窓を塞いだあとをタペストリーで飾ることも流行した。したがって、教会の窓の用途は、神秘性を保つためだけ、といっても過言ではないだろう。神がいる天とつながるイメージを補強するための強力な武器である。

この執拗に天を求める発想は、中東の砂漠から発祥した一神教である、ユダヤ教、キリスト教、イスラム教に特有のもの。それは、砂漠という環境があまりにもハードすぎたから。砂漠のなかで迷ったとき、行き先を複数人で話しあってもすぐにはまとまらない。即断しないと死ぬこともある。そこでリーダーは、ひとりで十分となった。それが神概念につながった。

即断即決で行動するところから、こうした一神教は、「動」の宗教といえそうだ。たしかに、坐っているキリストというイメージは、「最後の晩餐」くらいしか思い浮かばない。

チョコレート・メーカー、ゴディバのロゴマーク。

アジアの仏教建築と宗教観

キリスト教に比べて、仏教のお釈迦さんは基本的に坐っている。坐れば、視野が限定される。風景は連続したものというよりも点として捉えられる。いわゆる点景であり、距離感が稀薄になる。遠近法はなじまない。「動」のキリスト教と比較したら仏教は「静」。

この点景ということでいえば、もともと東洋の神はアニミズムが基本。あちこちに神は遍在している。だから神のあり方は点景そのもの。東洋の人びとは、木、岩、河、山、風景にちょっとした特徴さえあれば神の存在を感じる。ご来光に神々しさを感じるのは東洋人ぐらいらしい。欧米人はきれいだと思ったとしても、そこに神の存在を感じたりはしないようだ。

そんな東洋人のなかでも、日本以外の仏教建築は、正方形を基本としながらも建立スペースとしては、奥へ奥へと延びていく、キリスト教建築と同じく、奥が神聖、という考え方で建てられている。中国、韓国、ベトナム、カンボジアの宗教建築も大方縦長のようだ。ところが、日本の仏教寺院は、基本的に正方形か横長が多い。

日本の横長

イエズス会の宣教師アレッサンドロ・ヴァリニァーノ神父は、一六世紀後半の安土桃山時代、ローマに遣欧少年使節を送るために尽力するなど数回来日し、日本各地を巡察した。

そこでヴァリニァーノ師は、適応主義をとり、布教する国の文化・習慣にあわせることを主張した。フランシスコ会やドミニコ会の、自分たちのやり方を曲げない布教の仕方の反省に立ったものである。

ところがヴァリニァーノ師は、日

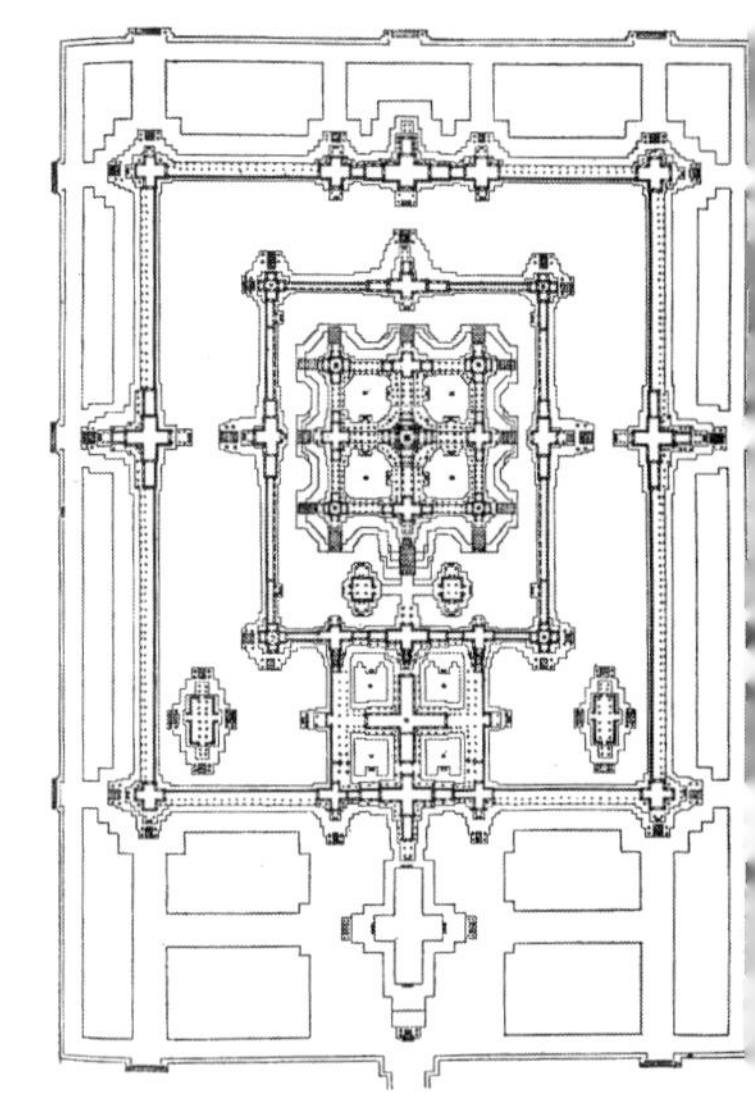

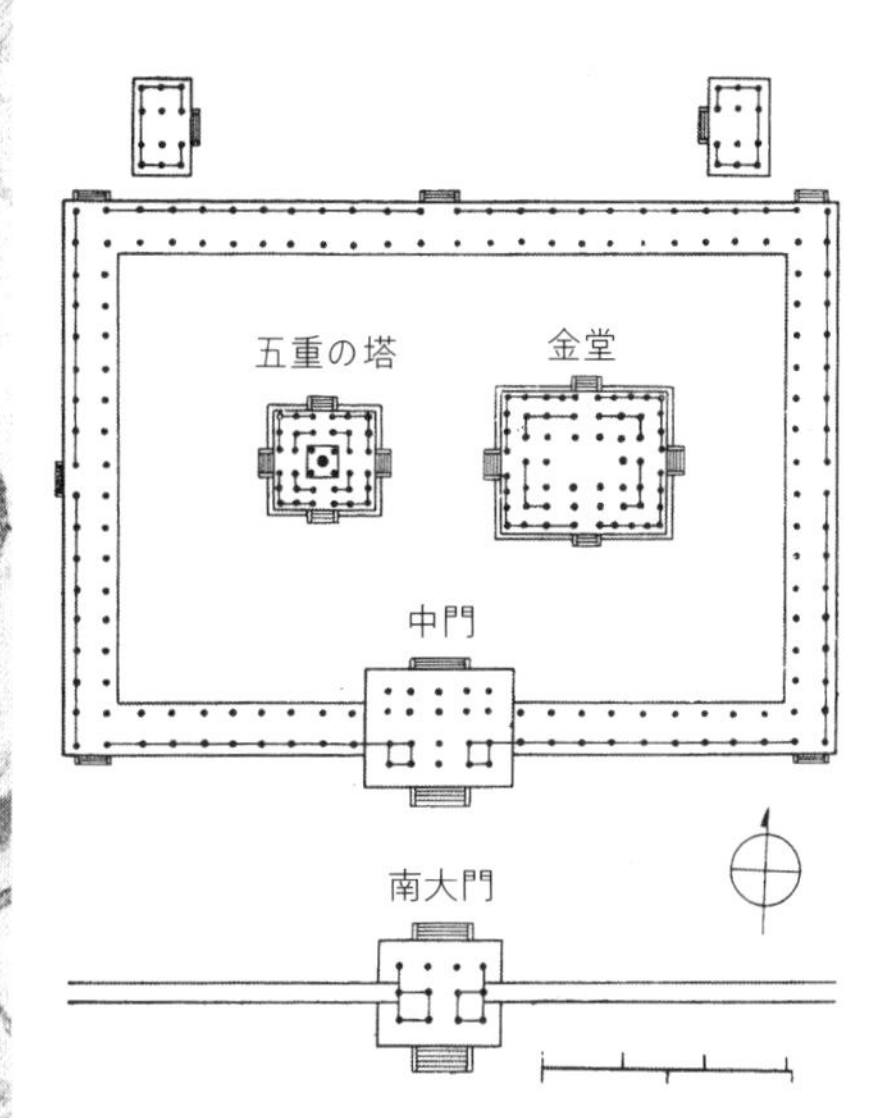

右）カンボジア、アンコールワットの平面図、12世紀。中央の正方形を縦長の長方形が囲んでいる。
左）法隆寺西院の平面図、7世紀。中央左の五重塔は正方形だが、それ以外の、3：2の比率の金堂、中門、南大門は、すべて横長。

本の仏教寺院がすべて横長なのに驚いた。ヴァリニァーノ師にいわせれば、「横長は悪魔の形式」（藤森照信『人類と建築の歴史』）である。キリスト教会建立に際して、障子や畳はまだ許せるが、横長だけはがまんならん、といって帰国した。

日本文化を尊重せよ、といっていたはずのヴァリニァーノ師の横長敵視発言は、のちに来日してきた宣教師たちの日本文化軽視、悪魔視、異端視につながり、これがキリシタン弾圧の遠因になったともいわれている。

日本文化には、たしかに横長が多い。中国・韓国では箸を縦に置き、欧米でもスプーン、フォーク、ナイフは縦に置く。ところが日本では箸を横に置く。お膳も木目が横になるように置くのが礼儀らしい。襖や戸は横にスライド式。笛吹童子や牛若丸が吹く笛も横笛（関係ないか）。

主人などが座る上座も、畳や敷物を横に敷いたところから横座とよばれた。神社や寺院の縁側も進む方向に横に張る、つまり、壁に

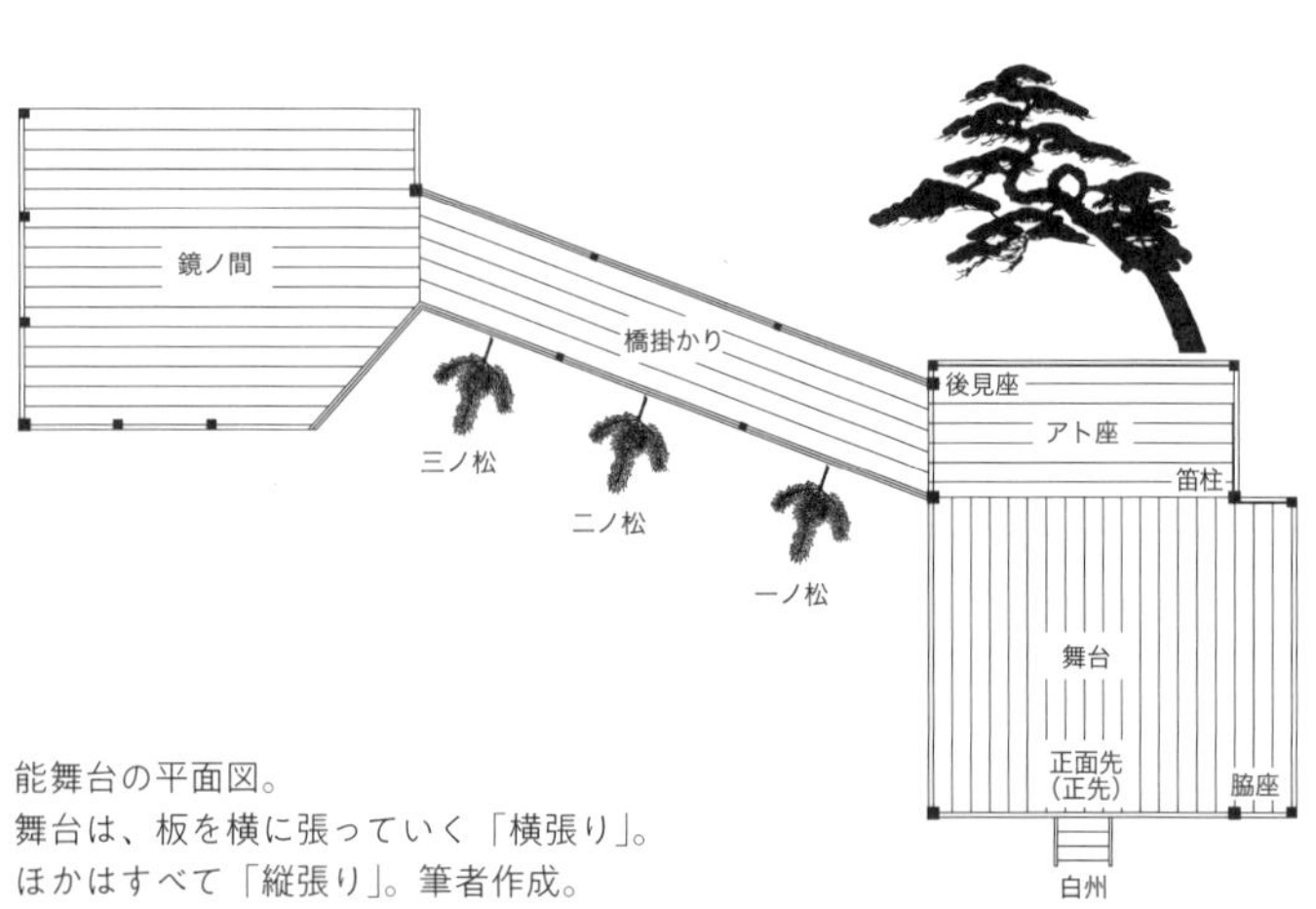

能舞台の平面図。
舞台は、板を横に張っていく「横張り」。
ほかはすべて「縦張り」。筆者作成。

垂直に板を張った。これを「切目縁（きりめえん）」という。壁と平行に張った廊下は「くれ縁」とよばれているが、切目縁のほうが格上。能舞台も切目縁である。板が手前に延びているので、一見すると、縦のように感じられるが、板を横に張っていくから、「横」という認識のようである。

一方、垂直（縦ともいえる）も異常事態と捉える。たとえば、死者を弔うためにご飯に垂直に箸を立てるまくら飯など。日本は古代から神のことを「御柱（みはしら）」というところから、憶測だが、死者を神になぞらえるための行為のような気がする。

かつての日本には、縦ストライプ模様がなかった。いや正確には、切目縁で説明したように、横に並んでいる、という意味で、縦でも横でもすべて横ストライプという認識だった。戦国時代、陣営に張られた幔幕（まんまく）は、どう見ても縦ストライプだが、横ストライプと理解されていたようだ。

ところが、一六世紀、ポルトガルや東南アジアから縦ストライプの布が輸入された。海外からやってきたということで、はじめて縦ストライプの存在に気づかされた。昔から日本人は舶来に弱かった

チェックやストライプ柄を間道（かんとう）と呼んだが、これは鎌倉時代から伝わっているので「鎌倉間道」と呼ばれた仕覆（しふく）（茶道具を入れる袋）。

のだ。

　そのカッコよさにしびれた茶人たちは、茶道具を入れる袋（仕覆）に使った。単なるボロ切れを縦ストライプというだけで手に入れようとして身代（しんだい・みのしろ＝財産）をつぶした茶人もいたという。

　江戸時代でも、江戸に表敬訪問に来たポルトガル人の召使いたちが着ていた縦ストライプの衣服に感化され、江戸の町人の間で縦ストライプが流行した。その流行は武士にも波及したという。

横長と奥

　日本の伝統的な絵画にも、奥行きよりも横長というか、水平重視が認められる。

　点景の発展形と思われるが、全体をフラットに一望できることをよしとしてい

鳥居清長〈松本幸四郎と芸者雪中柳下〉18世紀。

る。二次元性といってもよいかもしれない。そこから浮世絵などの輪郭を強調した二次元絵画が生まれた。
美術史家の高階秀爾（たかしなしゅうじ）さんは、このことを、西洋芸術はあくまでも画家の視点が主役だが、日本は描かれる対象が主役であり、それを描くのにふさわしい視点が選ばれるとしている。

一つの視点による描き方は、一つの中心を絶対的な価値とする西欧の一元的思想に対応し、また同一の画面のなかに複数の視点を共存させる考えは、互いに矛盾するさまざまな価値の共存を認める日本文化の多元性

京都市中とその周辺を描いた、
岩佐又兵衛〈洛中洛外図屛風〉17世紀。

に並行するものなのです。（高階秀爾『日本人にとって美しさとは何か』）

この一元的思想とは、まさに一神教そのものである。一神教にとって垂直線の彼方の天にいるのは神ただひとり。神と対立する悪魔は地上のあちこちにいる。この発想は明解だ。そして、殉教者が神のような存在として持ち上げられることがあったとしても、悪魔は決して神にはなれない。改心もありえず、あくまでも悪魔のままだ。

ところが、日本の神は少々複雑。神話上の神は不動だが、人が死ぬと神か怨霊になる。

誤解を恐れずにいえば、神自体が怨霊の仲間だ。中でも不遇を託ち、死んだりすると魔になって災いをもたらす。そこで神に祀り上げて怒りを鎮めようとする。これが日本の神の特徴である。祀られれば神であり、祀られなければ怨霊となる。（拙著『はじまりの物語』）

菅原道真（すがわらのみちざね）は、冤罪（えんざい）で左遷され、その地で死んだ。死後、京都で天変地異が続いた。実際は地球温暖化による気候変動だったのだが、朝廷は、道真が怨霊になってうらみを晴らそうとしている、とおびえた。そこで、道真の怨霊を鎮めるために、京都北野に天満宮を建てた。道真という怨霊を神にすることで、棚上げしたのだった。これは、恐いものを奥にしまい、一切触れないようにしたということでもある。

一方、恐くないものは、手の届く範囲の水平に置いた。これが「横長」観の背景にある。いいかえれば、キリスト教が考えたような、地上にそのまま投影する垂直線は、日本では、神につながるし、怨霊にもつながる恐い線でもあった。

そこで垂直線上でも水平線上でもない、どこか別のところに神か怨霊を隠した。隠した場所までの距離はさほど重要ではない。そこは点景にかんする考え方と同じ。縄を張って結界をつくり、みだりに近寄らないための目印をつけた。「奥」はその延長線上で使われるようになったことばのひとつ、アンタッチャブルな場所である。

このように、日本の「奥」は、もともと異次元の場所として設定され、そこにいたるまでの物理的な距離よりも、「異界」という観念を重視していた。それが、はじめのほうで述べた「奥」がつくことばが持つ「妖しさ・怪しさ」につながっている。

先に触れた日本の伝統的な絵画の、多くの視点が共存しているフラットな画面や、浮世絵のように背景を描かない、背景を省略する平面的な表現方法は、「観る者が画面の奥行きに入って行くことを禁じ」（高階、前掲書）ておきたいからだ。ここにも本章でいう「奥」が物理的な「奥」ではなく、棚に上げた「奥」であることを示しているように感じる。

ちなみに、全体主義国家ばかりではないが、ニュースででてくる「当局発表」の「当局」や、警察ドラマなどで犯罪捜査を途中で中止するときによく使われる「上の意向」の「上」などは、「奥」の別称かもしれない。

三章

触

手触りの発見

紙の手触り

インターネットの発達のせいか、紙の本や新聞はもうおしまいだ、書店がつぶれる、という話がひんぱんに聞かれるようになって一〇年近く経つ。そんなとき、紙の本のよさとして必ず語られることがある。それは、紙の本には、モノ（物体）感があり、それを支えている要素のひとつが紙の手触りだ。つまり、とっておきたいようなモノ感があるということ（読み捨ててもよいような本も一杯あるので本の特徴の代表ともいい難いが）。

以前、スイスのグラフィック・デザイナーと対談したことがあった。そのとき、ぼくはおみやげに自作の本を持っていった。彼はその本の手触りに驚いた。しかし、そのとき彼が驚いた紙はもともと輸入紙なので、ヨーロッパが販売のメインだった。彼を手触りに注目させたのは、手触りに注目したくなるデザインのせいだったかもしれない（自画自賛しているが）。

たしかに、彼がつくっている本の多くは、紙の手触りというよりも、本の量感や、視覚的インパクトを重視しているように見えた。そこには、紙は印刷され、装飾されてはじめて活きてくる、という考えがあるようにも感じた。それは一面では正しい。紙そのものが持つ風合いのよさよりも、丈夫か、印刷適性はよいか、ということに比重を置くのは当然だ。

一方、日本では、歴史的に、紙と親しく接してきたせいで、紙そのものへの愛着はどこの国よりも強い。

もちろん紙は、中国から伝来しているので中国も紙へのこだわりは半端ない。数年前、「中国で最も美しい本」の審査員をしたことがあったが、出品された本に使われている紙の多様さに驚いた。ただし、これらは、出品用に選りすぐられた本ばかり。一般書籍という点では、日本のほうがより用紙のバラエティに富んでいるようにも感じた。

日本人と紙

かつての日本人の生活は、紙とともにあった。ガラスがなかったので、かわりに紙が使われた。障子である。そして、屏風、襖はもちろん、お守り・護符、神社の紙垂(しで)（注連縄とともに結界をつくる飾り）などでも紙が主役。

ちなみに、この木と紙の生活は、太平洋戦争のとき裏目にでた。米軍は日本の紙製・木製の都市が破壊というよりもよく燃えることに気がつき、燃やすことに特化した焼夷弾を開発した。

ともかく、紙の白は、洋の東西を問わず、神につながる神聖な色とされることが多い。ほかの色に毒されない無垢・純潔というイメージがあるから。日本でも、結婚から葬儀まで人生の節目には必ず白が使われる。その神聖視のあらわれが、紙垂などの白い紙飾りである。

あるアメリカの著述家スーキー・ヒューズは、「日本人は、最も高貴なもの、神聖なもの、芸術的なものから日常的な毎日の考えに至るまで、人間性のありとあらゆる側面を紙に託して表現した」（ニコラス・A・バスベインズ『紙 二千年の歴史』）、と述べている。その紙づくりを支えていたのは、豊富な水と、和紙の原料となる繊維の長い木がたくさんあったから。

「紙」は「神」と同じ音を持っている。音が同じ、ということは、日本の言霊（ことだま）信仰によると、同じ性質を宿していることになる。

だからというわけではないが、日本人は、紙を、生活を支える大事なもの、聖なる自然の一部として、畏敬の念をずっと抱いていたことは間違いない。

幕末、ペリーが黒船でやってきたときのこと。交渉のために乗り込んできた幕府の下級官吏が、懐から懐紙をだして鼻をかんだ。それを見たペリーは、大事な紙を鼻紙に使うとは何事だ、と驚いた。アメリカでは、紙は貴重品だったからだ。一方でペリーは、下に見ていた日本人の文明の高さにも驚いた。

粗雑に扱われた紙

アメリカで紙が貴重だったのには理由（わけ）があった。一八世紀、まだイギリスの植民地だったころ、アメリカでは、製紙業が栄えた。その理由のひとつには、新聞や本の需要を満たすためではなく、なんとマスケット銃の紙製薬莢などに使うため。弾と弾を発射させるための火薬は、離しておかないと暴発する。そのために紙は手軽でちょうどよかった。

紙は、つくってもつくっても足りず、そのころ出版された聖書をばらしたり、製本所に向かう途中の未製本の本を奪って、紙薬莢などにしたという（マーク・カーランスキー『紙の世界史』）。神聖な聖書をばらしたなんて、暴動が起きてもおかしくない事件だが、それだけせっぱつまっていたのだった。いわば、間接的な焚書事件といえる。

これは、紙ならなんでもいい、紙質を問わない、という紙の価値を転換した事件でもあった。いやむしろ紙でなくても、手軽に遮れるものだったらなんでもよく、紙を冒瀆している事件でもあった。こうした紙不足がペリーのころも続いていたのだろう。

余談だが、この紙の価値転換事件と似た出来事がほかにもある。イギリス発祥の産業革命は多くの価値の転換をもたらした。なかでも、古代から命を育むものとして大事にされてきた水を、水力・蒸気という単なるエネルギーに変えた。ここでも汚れていてもなんでも、水質を問わない、水流の力が必要だっただけだ。

紙質にこだわった事件

紙質にこだわった、といっても、強度だけで手触りは関係がなかった。それは太平洋戦争末期、戦局を打開するために考えだされた奇策、風船爆弾によるアメリカへの奇襲爆撃作戦でだった。

戦争末期、日本上空のジェット気流が、アメリカにそのまま流れていくことがわかった。それでは、と軍は気球に爆弾をつけてアメリカに落とそうという、かなり神頼みの作戦を立てた。といってもいうは易く、行うは難し。気球は、太平洋という長距離を旅したのち、アメリカに着いてから自動で爆弾が落ちなければならない。

いろいろと試行錯誤のすえ、時限装置を考案したが、最大の課題は、零下数十度になる一万一〇〇〇キロの上空を爆弾や重りを抱えて長距離の旅をしなくてはならないこと。風船には、かなりの軽さと強度が要求される。

そこで選ばれたのが防水・防寒に強いコウゾを使った和紙。国内の和紙製造業者が動員された。のりはコンニャクを使ったので、一時日本中からコンニャクが消えた。

ちなみに、特攻機の片道の燃料タンクも和紙とコンニャク製。気球の場合はまだ納得できるが、紙製のタンクなんてほとんどギャグとしか思えない。胴体も障子を貼るように、木枠に紙を貼ったらしい。戦争をは

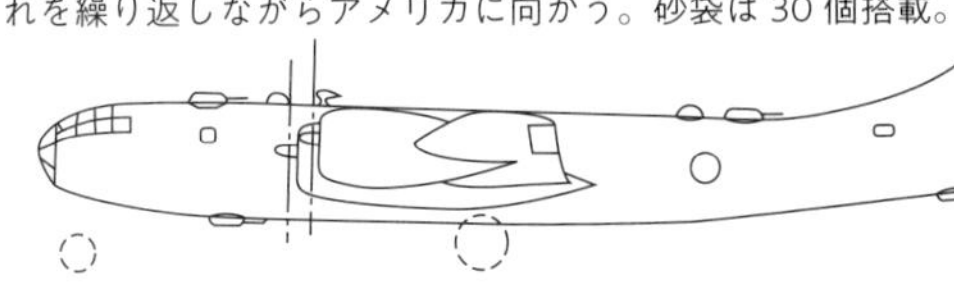

太平洋戦争で使われた風船爆弾とB29との大きさ比較。気球の直径は10mでB29と比較してもかなり大きい。高度1万5000mになると気圧計が作動して水素を自動的に放出して高度を下げ、9000mになると、3kgの砂袋を自動的に落として、また浮上する。これを繰り返しながらアメリカに向かう。砂袋は30個搭載。

じめるのは簡単だが、戦争遂行能力がなくなっても戦争を止められない悲哀がにじんでいる。

風船爆弾攻撃の結果は、約九〇〇〇個が放たれ、一〇〇〇個ほどがアメリカ大陸に到達し、死者六人と少しの山火事の被害を与えた。ただし、風船に細菌兵器が積まれるのではないか、という心理的効果は絶大で、米軍は、風船爆弾製造工場爆撃を優先した。風船爆弾対策費も原爆製造ほどではなかったが、アメリカに巨費を投じさせた。

しかし、偏西風が吹きはじめる秋になると風船爆弾作戦がまたはじまって、今度こそ細菌兵器を投入するのではないか、という懸念から米軍は、原爆投下を早めたという説もある。やはり、戦略というのはつくづくゲームだ。日米双方にいえるが、落とされる爆弾の下には多くの無辜の民がいる。

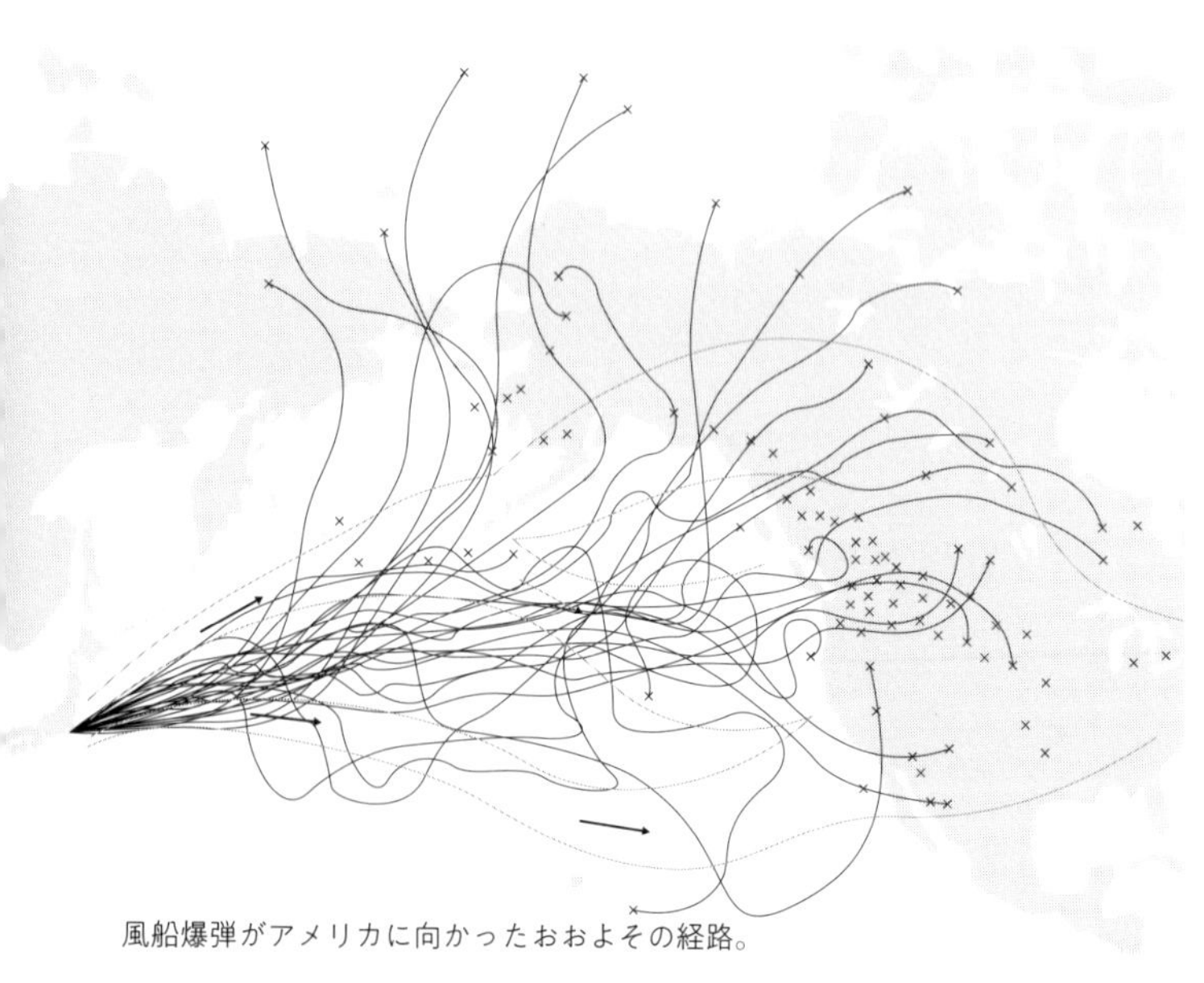

風船爆弾がアメリカに向かったおおよその経路。

デザイナーとしての利休

だいぶ横道に逸(そ)れてしまったが、紙に囲まれた生活によって、触感は、日本人にとって重要な感性となった。そんな日本人のなかで、触感を芸術にまで高めた人物がいた。千利休(せんのりきゅう)だ。

利休は、わび茶を完成した茶人として知られているが、茶室のあり方を提案した建築家でもあり、茶碗や茶杓(ちゃしゃく)などの茶道具をデザインしたプロダクト・デザイナーでもあった。なかでも粗末なものにも価値を与えたことは大きい。

もともとは大坂堺の貿易や廻船業のための貸し倉庫屋（納屋衆）の豪商の出。彼らのなかには武器商人もいて、戦乱を支えた。したがって、彼らの発言力は強かった。

そんな利休のすごさは「見立て」にあった。本来茶道具でないものも茶道具に使ったからだ。水筒だったヒョウタンを一輪挿しにしたり、魚を入れる魚籠(びく)や、井戸の水汲み用の木の桶を水指(みずさし)にしたり、また、大量生産品である李朝の雑器を最高の茶道具とみなしたことなど。二畳の粗末な空間を美的感覚に優れた最高の茶室としたこともそうだ。

利休は、「奥」で触れた、舶来の縦ストライプの生地のすばらしさを喧伝(けんでん)した茶人のひとりでもある。身代をつぶした人もいた、と述べたが、乞食(こつじき)（浮浪者）が着ていたボロ着の模様が縦ストライプだったから、と全財産をだして買い取った人の話もあり、かつてのオランダで起きたチューリップ・バブルにも似た、いわば詐欺の片棒を利休は担いでいたともいえる。

一七世紀のオランダで、オスマン帝国からもたらされたチューリップの美しさが人気となり、チューリップを欲しがる資産家が増え、値段が高騰していった。チューリップを育てるのには時間がかかる。そこで、チューリップなしで取引されるようになった。先物取引だ。当然これは現物がないのでいずれ破綻する。これがチューリップ・バブル。一個のチューリップの球根で家が建つ、ともいわれた。ボロ着と同じことが五〇年後くらいのヨーロッパで起きていたのだった。

固定観念にとらわれない利休

利休は、雑器を高級品だといって秀吉に売り込んでもいた。利休は自分の審美眼に強い自信を持っていたようだ。そうでなければ、固定観念の強い持ち主に相対したとき、その審美眼は仇（あだ）になることもある。利休は、最終的に秀吉から疎んじられ、切腹を命じられる。ボロ着や雑器の話といい、固定観念にとらわれない姿勢こそにその遠因があったのかもしれない（余談だが、中村修也さんの『千利休』では、利休は秀吉に切腹を命じられたが、切腹せずに九州に逃げた、という説が語られている）。

雑器といえば、竹を節のところで切って一輪挿しにし、秀吉に献上したこともあった。美学が利休と違いすぎる秀吉は、こんなものを、と激高し、庭に投げ捨て、竹にはひびが入ってしまった、という伝がある。

秀吉は、金箔貼りの、通称「黄金の茶室」をつくったくらい、いわばセンスのない成り上がりの権力者。しかし、この茶室制作に利休もかかわっていたとされる。利休は、後述するが、マルセル・デュシャンのようなデザイナー的感性を持っていたと思われる。状況を否定せずに、状況を味方につけようとする感性だ。つまり、質素なら徹底的に質素に、逆に、華美ならこれでもかと華美にする。

秀吉にひびを入れられたとされる竹の花入れ。それを利休は「園城寺（おんじょうじ）」と名づけた（息子が名づけたという説もある）。

利休はひびの入った竹の一輪挿しを手にとって、滋賀県にある天台寺門宗の総本山、園城寺の鐘のひび割れに似ている、と「園城寺」と名づけた。利休の秀吉にたいする見事な切り返しである。こんなことばかりすれば秀吉に、余計に嫌われるのは当たり前だ。

このひび割れ切り返し事件は、男性用小便器にサインしただけの作品で、二〇世紀最大の作家のひとりといわれたデュシャンの、ひびの入ったガラス作品を根気よく修復して、価値を高めた「切り返し」と通じるものがある。

デュシャンの、通称〈大ガラス〉（一九一五～二三）というガラスを両面に張った大型作品は、搬送のとき、平置きにしていたためひびが入った。デュシャンは、割れたガラスの破片を集めて、数ヶ月かけて復元し、ひびを活かしたまま両面をガラスで補強した。ひびも作品の一部としたのだった。まさに、

フィラデルフィア美術館に常設展示されているデュシャン〈大ガラス〉1915 ～ 23、部分。ガラスのひび割れ部分が光線を受けて強調されている。筆者撮影。

利休と同じ感性である。

その利休の目利きとしての最大の功績のひとつは、目利きならぬ、触利き（そんなことばはないが）である。

最新の楽茶碗

利休は、茶碗でも独自の目利きぶりを発揮する。だれもが認める舶来の高価な唐物茶碗を利休は一顧だにせず、瓦職人長次郎に、中国に由来する技法、つまり、ろくろを使わずに手で茶碗をこねさせた。これが楽茶碗。

長次郎の工房は、秀吉プロデュースの金でおおわれた聚楽第（じゅらくだい）にあり、聚楽第建設時に取り除いた土を使って茶碗をつくった。利休の屋敷も聚楽第にあり、利休プロデュースの長次郎の茶碗は、聚楽茶碗とよばれ、のちに楽茶碗となったとされる。

この茶碗の特徴はまさに土のイメージをそのまま持っていたこと。ろくろを使わないので手のあと、非対称、凹凸など、プリミティブなよさと手触りが強調された茶碗だった。なかでも楽茶碗の大きな特徴は、専門的な技術がいらないこと。

窯が小さくて火力が弱くても問題ないこと。誰でもつくれるがセンス勝負のところを利休が気に入ったのかもしれない。

茶碗の色は、中国、宋の時代は青黒色や暗褐色、明の時代は白が好まれた。宋時代では抹茶（緑色）が、明時代は淹茶（茶葉にお湯を注いで飲む茶＝茶色）が流行った。木村重信さんによると、これらは、茶の緑色や茶色が映える色として選ばれたに違いない。利休の黒も、抹茶が映える色だから、という（『東洋のかたち』）。

利休は、黒楽茶碗を好んだが、秀吉は嫌った。そんな利休は、あまりにもセンスが違いすぎる権力者に仕えていて、依頼された仕事はデザイナーのようにそつなくこなす一方で、芸術家のように、自らの美学にもこだわった。秀吉の怒りを買うのは時間の問題だったのかもしれない。

ここで重要なことは利休が重視した「手触り」である。桃山時代は、秀吉の聚楽第や黄金の茶室に代表されるように、金銀ぎらぎらの視覚中心の時代。渋さなどは微塵もなかった。そんな時代に利休のようなワビ・サビを唱えることはきわめてアヴァンギャルドな行為だった。長次郎の茶碗が楽焼きとよばれる以前は「今焼き」とよばれていたそうだ。「今」は「今風の」、つまり「最新」ということ

利休が愛した黒楽茶碗。

とである。やはり利休はアヴァンギャルドだったのだ。

最新の感覚、手触り

そして利休には、もうひとつ「最新」があった。「触覚の美」にたいする明確な自覚があったのだ。

利休が生きた時代「麁相（そそう）」ということばがしばしば使われた。麁相とは仏教用語の「四相」（万物の無常のさまを「生（しょう）・住・異・滅」の四つにあらわしたもの）を人の一生に置き換え、「生・住・老・死」としたもの。この人生の無常をあらわすことばは、のちに生きている限り失敗もある、という意味に変化した。類語がおねしょをしたときなどに使われる「粗相」である。

しかし、利休時代は違った。利休たちは、高麗、南蛮、信楽（しがらき）、備前などの個性的な陶磁に「麁（アラ）きもの」を感じた。

規格的で精巧なるものに厭離の念を抱いた茶湯者たちは、灰被りの麁きものにおいて、新（アラ）きものをみ、そして生（アラ）きものを強く感じたのであろう。（木村重信『美術の始源』）

この「あらきもの」の特徴は破調であり、それを「手触り」が支えていると利休たち茶人はみなした。

そして先に触れたように、利休を含む茶人たちは、唐物ではない、朝鮮の李朝時代の高麗茶碗を好んだ。李朝ではポピュラーな雑器である。これらは、当時の日本で「井戸茶碗」とよばれ、「一井戸、二楽、三唐津」と名器のトップに君臨した。「井戸」の由来は、井戸をのぞき込むと暗くて深いから、朝鮮南部の地名からとった、茶碗をもたらした人物の名に「井戸」がついていた、奈良県の井戸村から産した、など諸説ある。ここに、私見ながら、なにげないものこそすばらしい、と表明するために身近なイメージを持ってきたという説も加えたい。

井戸茶碗の特徴もその手触りにある。利休プロデュースの楽茶碗は、井戸茶碗にたいする、手触りを前面にだした日本からの返答といえるものだった。

そしてまた、感覚界では高位を占めるといわれている視覚・聴覚にたいする、触覚・味覚・嗅覚という低位の感覚からの反撃でもあった。手触りのよさが、そ

喜左衛門の銘のある井戸茶碗。

の茶碗の価値を上げ、同時に視覚的にもすばらしい茶碗だと思わせた。この触覚重視は、東西の美学史のなかでも特筆すべきアヴァンギャルドな事件だった。

文字の手触り

最後に象徴的な話をひとつ。これは手書きの書の話ではない。印刷やコンピュータ内で使っている文字、フォントの話。

現在、印刷やコンピュータ内で使っているフォントはすべてデジタル・フォント。三〇年くらい前から開発されはじめ、今や、手描き文字を除いて、文字を使った環境を完全に支配している。

コンピュータが主流になる前の印刷用文字は、写真植字、通称「写植」を使っていた。これは、文字盤から拾った文字を撮影して印画紙に焼き付けたもの。

その写植とデジタル・フォントが混在した草創期のころ、写植を使い慣れていたデザイナーたちから「写植はよかった」という声がしばしば聞かれた。その多くは、コンピュータという新しいシステムに乗り切れないゆえの、懐旧の念に満ちたものだった。

しかし、デジタル・フォントの最大の特徴である、どこまで拡大してもそのエッジの鋭さが不変であることに違和感を抱くデザイナーたちも現れた。ただ、その違和感の出処はわからなかった。

それが、徐々に明らかになった。写植の文字盤は、デジタル・フォントと同じくエッジは鋭くつくられていた。ところが、印画紙に印字されることでその鋭さが甘く、柔らかくなる。これが無意識に視覚的な優しさを与えていたのだった。

楽茶碗が、手触りによって、見た目も含めた茶碗全体の価値を上げたように、写植文字も印画紙を媒介として、甘みという、いわば文字の手触りを得て、視覚的な優しさを手に入れたということができるかもしれない。

そして、現在は、あえてその甘みを加えたデジタル・フォントも生まれている（こぶりなゴシック、A1明朝、A1ゴシックなど）。

手触り

手触り

手触り

横画と縦画が交差する部分にアールを加えてエッジの鋭さを抑えた書体群。上から、こぶりなゴシック W6、A1明朝、A1ゴシック M。

四章

律

日本のリズム

「一二三」の短歌

ヴィジュアル・ポエトリーを追求している詩人、松井茂さんは「型」にこだわる詩人として知られている。型に沿いつつ新しい表現を見せてくれるのが松井流。その松井さんに〈★五十首〉(二〇〇三)という記号をそのままタイトルにした短歌を擬した奇妙な詩がある。詩を図形的に見るという意味での「視覚詩(ヴィジュアル・ポエトリー)」のひとつだ。

この詩は、漢数字「一、二、三」のみを使って短歌の形式「五七五七七」にあわせ、さまざまな組み合わせを展開している。一見、意味不明だが、子細に見ていくと少しわかってくる。

短歌といえば、声にだして詠むもの。しかし、最初の句、「三一二二一　一二

松井茂さんの詩〈★五十首〉の最初の5首。

三一二三一　二一一二三　二三一二三一二　三一二三一二三」をどのように詠めばよいのだろうか。「いち、に、さん」と、「ひ、ふ、み」を試してみた。

短歌の「五七五七七」の一音一語のリズムにあうのはもちろん「ひ、ふ、み」。これで詠んでみる。

みひふふひ　ひふみひふみひ　ふひひふみ
ふみひふみひふ　みひふみひふみ

調子をつけて詠むと、意味不明ながら状景が目に浮かぶような感じがする。短歌はたった三一文字で世界をあらわしているといわれるが、「ひ、ふ、み」の三文字の組み合わせでも状景が浮かぶということは、「五七五七七」がもたらすリズムにイメージ力があるのだろう。

しかも、この句は全部で五〇首あるが、同じ構成の句はないそうだ（みな同じにみえるので全部を確認してないが、最初の一〇首くらいは違っていた）。そこにある衝撃が隠されていた。

この詩の、各々の句の数を数えた人がいた。「三一二二一」だったら「三＋一＋二＋二＋一＝九」という具合。この詩が収められている『松井茂短歌作品集』巻末の解題を書いている詩人の上村弘雄さんは、五〇首すべてを数えたらしい。すると、「五七五七七」の第二、第四、第五の「七」のところの数を足すと、すべて「一三、一四、一五」の並びになっていることに気づいた。あたかも、一見ランダムにしか見えないのに、アルゴリズムで構成されている規則的な短歌ということになる。

いわゆる短歌とは真逆のようにも感じるが、短歌のリズム性をより浮上させた、ということもできる。もちろん、本人がこのことを表明しているわけではないので、ほとんどの人はスルーしてしまうだろう。

「Camouflage」という詩

ちなみに、松井さんのこだわりは『Camouflage』（二〇〇八〜〇九）という詩集にもあらわれている。この詩集は一三集あり、すべて同じテーマでつくられているが、これを詩といってよいか悩ましい作品だ。

松井茂さんの詩〈Camouflage Vol.1〉の冒頭の視覚詩。

各々一ページのA４全面に、四五度の斜めの直線が重なりあわず、交差せずに縦横に張り巡らされ、一集一五ページにわたって展開されている。

各集のおわりに、小さく次のように記されている。

Material:
84,000 characters
In detail:
＼x 42,000
／x 42,000

はたしてこれはどういう意味だろうか、と一瞬頭を悩ます。

なんと、このページを縦横に走る斜めの線は、スラッシュ「／」とスラッシュの逆「＼」でつくられていて、しかも一冊全体の個数が八四〇〇〇個であることを示していたのだ（「x」は「かける」の意味）。まさしく、これも詩（視覚詩）のひとつだった。使っている線がスラッシュであることを見事に「カムフラージュ」していた。

松井さんによると、驚くことに、一三集すべてに収録してある一九五枚の図に、ひとつとして同じ模様はないという。

七五調のリズム

大橋巨泉さんが昔（一九六九）担当した万年筆メーカーのテレビCMのコピーを今でもよく覚えている。

みじかびの、きゃぷりきとれば、すぎちょびれ、すぎかきすらの、はっぱふみふみ

大橋さんが即興でつくったとされている。

一瞬、意味不明と感じるが、随所に「短い、（万年筆の）キャップ、すぐ書ける」などの語が巧妙にちりばめられ、よく練られている。大橋さんは、ことばに関して天才的な感性を持っていたが、これはCMなので、台本もなしにその場で「即

大橋巨泉さん。

興」で語ったというのは、あまり考えられない。「即興」が話題づくりだったかどうかはともかく、大橋さんのキャラクターがそれにリアリティを与えていた。

こんな意味不明の語を何十年たっても覚えている、というのは、やはりリズミカルだったからだろう。

余談だが、ぼくは中学一年のとき、映画『ウエスト・サイド物語』（一九六一）を観て感動し、その劇中歌のひとつ「クール」をラジオから録音して、歌詞を丸暗記したことがあった。

当時は、まだ英語の勉強をはじめたばかりだったので、意味がわからず、歌詞はすべてカタカナで書き写した。それが数十年たった今でも覚えていて、そらんじることができる。それもやはりリズムがあるからだろう。

リズムはなぜ、記憶させ、イメージを生みだすことができるのだろうか。その答えはおそらく、パターンの繰り返しにありそうだ。

日本語のリズム

五七五七七調や、七五調、五七調、五七五調は総称して「七五調」と呼ばれる。

漢詩の、一句が漢字五文字でつくられた五言詩に由来しているらしいが、日本語の歌詞や標語の多くはこの七五調。

たとえば交通標語は、五七五調では、「踏切だ、鳴らせ心の、警報機」「飛び出すな、車は急に、止まれない」「運転は、ゆずるやさしさ、待つ心」「気のゆるみ、あなたの命、大切に」など。七七調では「飲んだら乗るな、乗るなら飲むな」「注意一秒、けが一生」。五七五七七調ではこんなのもある。「その作業、一息ついて、再確認、慣れた作業に、落とし穴」など。

最初の七五調といわれる、『古事記』『日本書紀』にある、「八雲立つ出雲八重垣妻籠みに八重垣作るその八重垣を」は、実際には、万葉仮名で書かれ、このように区切りもない。区切りがないと突然リズムを失う。先述の標語の句読点をとって、間を置かずに、一気に読んでも、文章の魅力はなくなるし、覚えるのも面倒になる。句読点がもたらす「間」の重要度は高い。

別宮貞徳(べつくさだのり)さんは、この五七五七七の間にある「間」によって四拍子がつくられ、それが心地よさを生んでいる、と説いている(『日本語のリズム』)。

たとえば巨泉さんのCMコピーの例でいえば、「みじかびの」の五音と「きゃぷりきとれば」の七音の間は、やや長めの休止があり、「きゃぷりきとれば」と「すぎちょびれ」の間の休止は短い。つまり五七五七七は、五音のあとに三音の休止、七音のあとに一音の休止がはさまる、すべて八音で展開している四拍子だという。

ここにも日本語の特性がからんでいる。日本語は八音に一字ずつあてることができる、音数と字数が同じ言語なのだ。たとえば、「みじかびの」の五文字が五音をあらわすという具合。日本語のように、かな一字に一音を当てる言語を「等時性」というようだ。中国語や朝鮮語も等時性だが、英語などは等時性ではない。

歴史家の半藤一利（はんどうかずとし）さんは、漢字四文字のスローガンで幕末から太平洋戦争までの歴史がわかる、と語る（『あの戦争と日本人』）。

幕末の「尊皇攘夷」「公武合体」にはじまり、明治の「王政一新」「文明開化」「万機公論」「版籍奉還」「廃藩置県」。徴兵制ができると「国民皆兵」「自由民権」「富国強兵」「臥薪嘗胆」。満州事変が勃発して「五族協和」「王道楽土」「国体明徴」。日中戦争がはじまり「挙国一致」「祭政一致」「天壌無窮」「一億一心」。戦局悪化とともに「七生報国」「滅死奉公」「学徒動員」「鬼畜米英」「本土決戦」。

ポツダム宣言受諾のときは「国体護持」（半藤、前掲書）。八音や六音もあるが、だいたい七音である。

二音セットの日本語のリズム

別宮さんは続ける。八音セットだが、実はそのなかにも細かい区切りがある。たとえば、「みじかびの」は「みじ／かび／の」、「きゃぷりきとれば」は「きゃぷ／りき／とれ／ば」のように二音ずつの区切りになっている（この場合拗音は一音に加えていない）。「の」や「ば」のように一音で終わっているところは一音分の休符が入る。そのため、八音セットということでみれば、「みじかびの」の「の」のあとに、一音プラス二音の休符が入っていることになる。

余談だが、クイーンの「ウィ・ウィル・ロック・ユー」の有名なリズム、「ドン、ドン、パン」は、「ドン／ドン」と「パン＋カタカナ二字による休符」になっていて、今まで述べてきた二音セットのリズムになっている。この曲は、世界中でヒットしたが、特に、二音セットのリズムは日本人に受け入れられやすい。

この二音セットは、長い固有名詞を略すときに多用されている。「二音×二」

の、四文字だ。たとえば外来語では、「パーソナル・コンピュータ」を「パソ／コン」、「ソニープラザ」を「ソニ／プラ」、「ロリータ・コンプレックス」を「ロリ／コン」、「ハイ・テクノロジー」を「ハイ／テク」など。日本語だと、「写真植字」が「写植」、「活版印刷」が「活版」、「漫画研究会」を「漫研」、「軽音楽部」を「軽音」など。

「下北沢」を「下北」と略すところをみると、なんとしてでも四文字にしたい心意気を感じる。名称がわからないときの表記の仕方も「○」一つではなく、たいてい「○○」と「○」を二つ使う。

「チノパン」は、綾織りの綿布でつくられたパンツのことだが、「チノパンツ」では、たった一文字増えただけなのに、なんとも据わりが悪い。やはり四文字の「チノパン」がしっくりくる。

西洋の三拍子

英語を分節に分けてみると三拍子でできていることがわかる。ジョン・レノンの「イマジン」の歌詞を試しに分節で分けてみよう。

Imagine / there's / no heaven
It's easy / if you / try
No hell / below / us
Above us / only / sky
Imagine / all / the people
living / for / today

見事に三文節に分けられる。大江健三郎さんの小説『見る前に飛べ』は英語のことわざ「Look before you leap（転ばぬ先の杖、など）」をもじったものだが、「Leap / before / you look」と三文節だ。もうひとつ「優雅な生活が最高の復讐である」ということわざの英語「Living well / is the / best revenge」。このようにみてくると、どうやら英語は、日本語と違って三拍子のように思われる。

　この英語を含めた欧米語のリズム感は、単語の発音の高低差がリズムとなっている。いわばアップ・アンド・ダウンが激しい言語。一方、日本語は、方言はともかく基本的に抑揚は少ない。

ほかのところでも触れているが、これは、西洋と日本の空間認識観から説明できる。すごく大まかにいえば、西洋は垂直思考で、日本は水平思考。西洋の垂直性は、唯一の神がいる天と地をつなぐ軸からきている。日本は、アジア特有の遍在する神による水平観だ。点景による水平観といってもよいだろう。

外村（とのむら）直彦さんがすばらしい例を挙げている。チェスの駒は立っているが、将棋の駒は平置きだ。日本では明治以降、洋書が輸入されて本も書棚に縦に置くようになったが、それまでの和書はすべて平置きで積み重ねられていた。洋書は、縦置きに堪えられるように、表紙も堅固につくられていたが、和書は、縦置きをまったく考慮していない構造である。

荷物の形も、西洋では、トランクは縦に置き、肩掛けのカバンやハンドバッグはいわば縦に吊される。日本の荷物は、行李は床に横に置き、風呂敷で包んだものは水平のまま持ち歩く。

ヨーロッパの宗教画に描かれる聖人の目は、かならずといっていいほど天の上空にむけられている。教会内陣の円蓋には天頂にむけ旋回しつつ上昇する群像が描かれている。ヨーロッパ人に天国はどこにあるかときくと、かならず指を真上にたてる。これは垂直構造であろう。それに対して、日本人は天空に目を注ぐことをほとんどしない。曙の東の空にむかって手を叩き、夕光の西の空にむけて手をあわせる。上方浄土でなく、西方浄土である。これは水平構造であろう。（外村直彦『添う文化と突く文化』）

このように欧米語は、垂直構造に基づいた、文字自体にリズムを内在しているが、日本語は、ことば自体が平坦なので、それを四拍子にもとづいた二音セットなどで補っている。それを支えているのが、七五調に導入されている休符。休符が入ることで、八音のパターンが完成し、その繰り返しがリズムを生む。日本語の、単語同士を結びつけるのは「てにをは」であり、日本語にとってかなり重要なツールである。しかし、「てにをは」の一音が加わることで、二音セットのリズムは崩れる。そこでどうしても一音分の休符が必要となる。

西洋音楽の三拍子

西洋音楽の、ワルツの三拍子は、欧米語が持つ三拍子からきたのではない。なんと、キリスト教の三位一体説（父なる神・神の子キリスト・聖霊）の「三」からきたとしたら驚くだろうか。といっても、西洋音楽はもともと聖歌からはじまっているので、信仰心がベースにあったとしてもおかしくない。

西洋音楽の楽譜は、九世紀に、聖歌の歌詞の上にネウマとよばれた、音の高さをあらわす、いわばアクセント記号を記すところからはじまった。

キリスト教は、ほかの宗教に比べても、均一化、同一化への欲望が強い。しかも十字軍以来、異教徒を排除してキリスト教への同化を求める傾向が、特に強まった。聖歌にも、みな同じように歌えることが求められた。そのあらわれが楽譜志向。邦楽にしても、アラブ音楽にしても、もともと楽譜はない。したがって、楽譜という文化は、ヨーロッパのキリスト教圏から発達したといえる。

一〇世紀になると、音の高さをランクづけするために横線を四本入れるようになった。譜線の発明である。単旋律は四本、多声曲は五本、鍵盤曲は六本と使い分けていたが、一七世紀には、すべて五本線にまとまっていく。同時に、小節線も発明され、楽譜の基本的構成要素はほぼそろった。

一三世紀後半に、音符の長さが全音、二分（全音の半分）、四分（全音の四分の一）、八分（全音の八分の一）と決まっていった。機械式時計が発明されて、時間の長さを正確に測ることができるようになったからだ。

同じころ三拍子案がでてくる。ちょうど、十字軍が、イスラム軍に負け続けたことで、キリスト教の権力にかげりがではじめたころのこと。そこで、キリスト教圏の内部の引き締め策のひとつとして、例の三位一体説を反映した三拍子があらわれたと思われる。

そして三拍子をあらわす記号もつくった。なんと「○」。つまり、「三拍子は神に称えられている」という意味で「完全な円」にしたのだった（ルネサンスからバロックあたりまで使われたが、

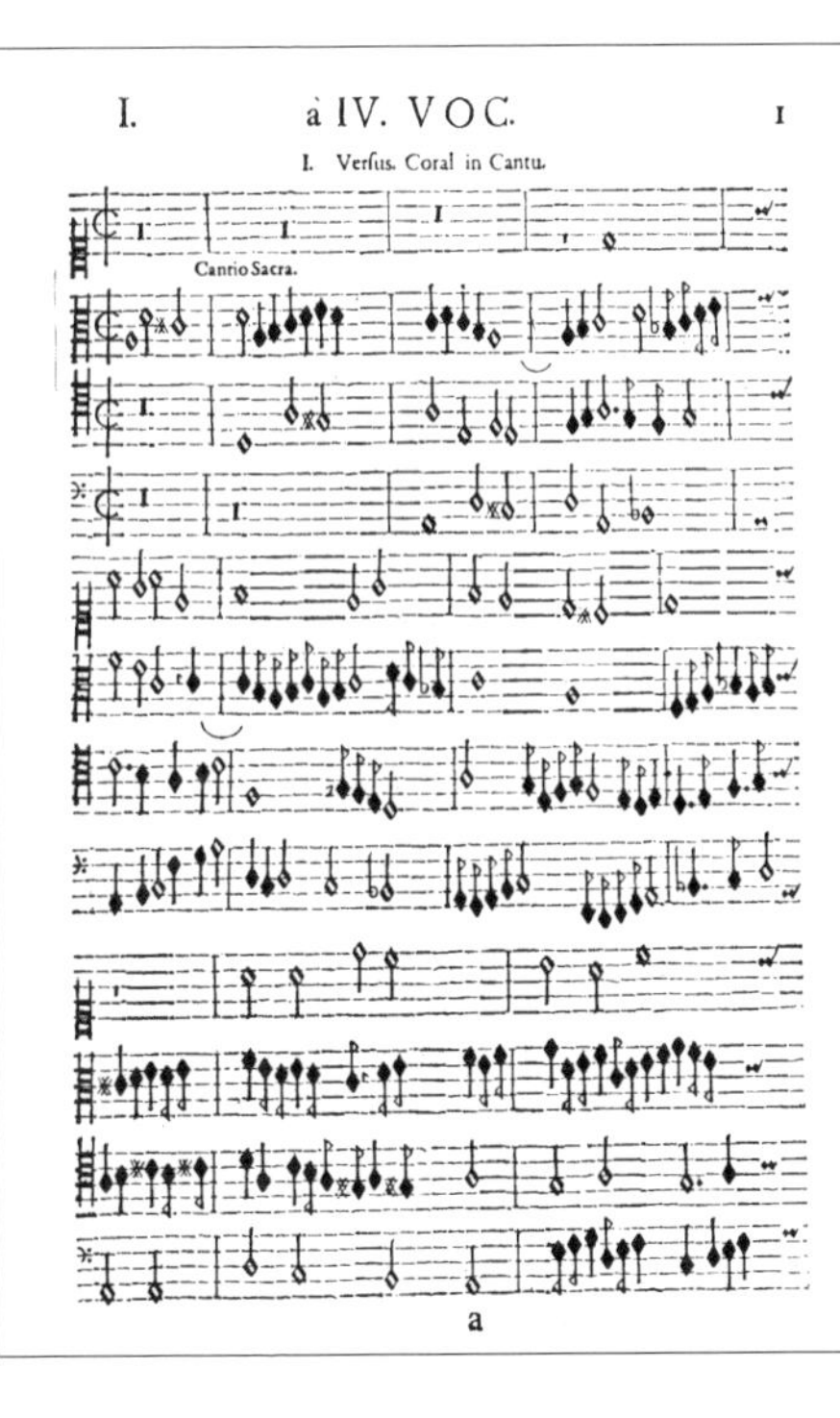

ドイツ初期バロックの宮廷オルガン奏者で作曲家、ザムエル・シャイトの鍵盤曲集『新奏法譜集』1624。垂直の小節線が加わっている。

現在は使われていない）。

ちなみに、ロックは四拍子。不完全とされた拍子である。ロックをロックたらしめているのは、三拍子を基本とした英語の歌詞がつくからだろう。その一音にそのまま英語の歌詞をあてるとどうしても字余りになるので、無理矢理詰め込む。それがノイズとなって全体に破調の美をもたらしている。ギターも、エフェクターやアンプでわざと音をひずませてロックらしさを醸しだしている。ラップもリズムをほぼ無視した歌詞の流れによる違和感を効果的に使っている。

逆に、日本語の歌詞のロックだと、うまくはまりすぎて、どうしても歌謡曲っぽさが前面にでてしまう。そこで、桑田佳祐（けいすけ）さんらが、英語のロックにある字余り感をなんとか取り入れようとしてきたのだった。

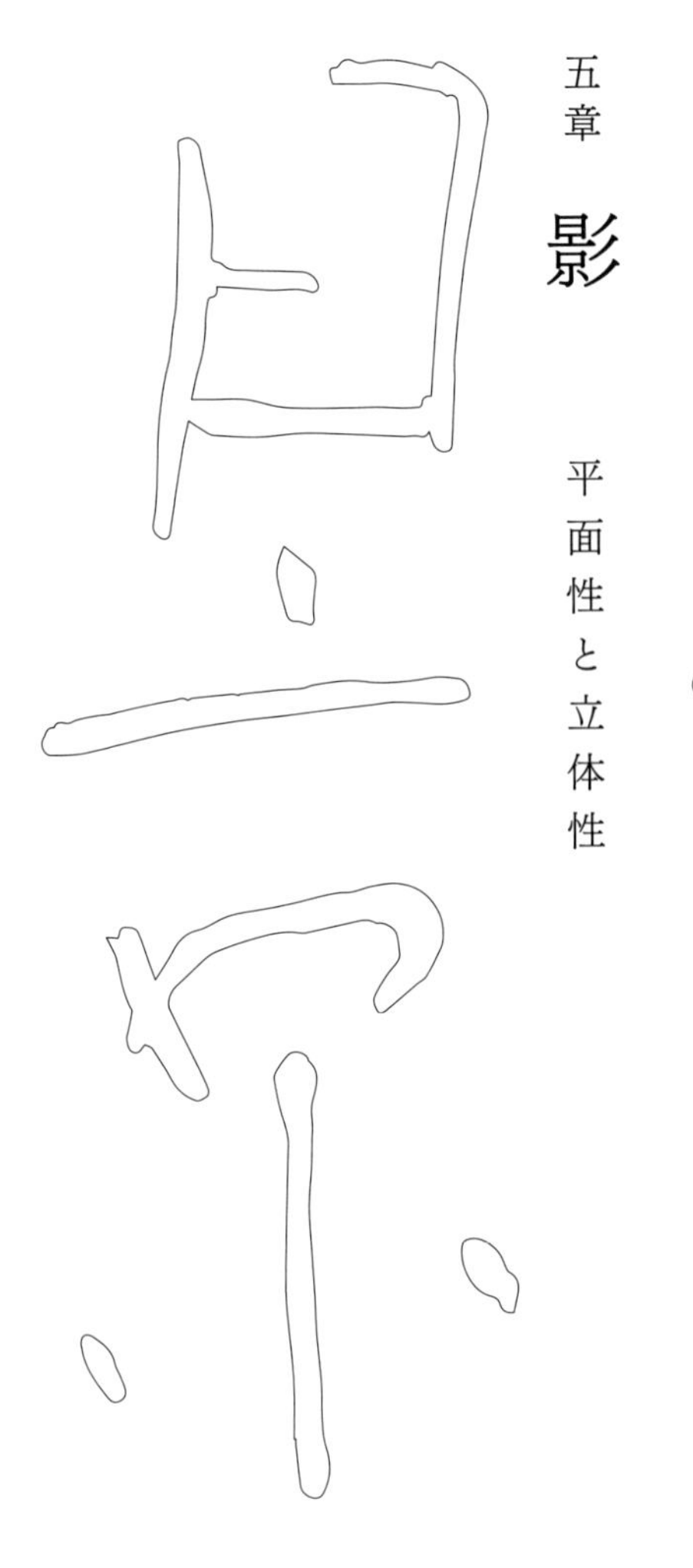

五章

影

平面性と立体性

西洋絵画と日本絵画の違いを端的にいえば、「立体的」か「平面的」かに尽きる。その重要な表現法として「影」の有無がある。「影」による明暗のつけ方によって絵は立体的にも平面的にもなる。

それではまず、西洋絵画の影表現をみてみよう。

神の視点から人の視点へ

本書で何度も触れているように、イタリア・ルネサンスは、神の視点を人の視点に取り戻す一大ムーヴメントだった。

ルネサンス以前の画家たちは、神が見た（と思われる）視点を再現することに比重を置いていた。原理的には、神が天の高みから地上の隅々まで光を照らしているはずなので、地上は影のない世界となる。

そのイメージに近いものが映画にある。スタンリー・キューブリック監督の『2001年宇宙の旅』（一九六八）のラスト、ベッドの前にモノリスが屹立しているシーン。そこは、いたるところに光源があり、影がほとんどない白い部屋になっていた。モノリスは、映

『2001年宇宙の旅』のワンシーン、影のない部屋。

画のなかで神のごとく君臨していたので、そのイメージは当たらずといえども遠からずだろう。

その神の視点一辺倒だった時代に、すでに触れたようにペストやら天変地異やらで、神の権威が揺らぐ。神はひたすら祈っても助けてくれなかったからだ。その不満を糧としたイノベーションがイタリアから興った。それがイタリア・ルネサンス。その中心となった表現が遠近法である。

もちろん、中世ヨーロッパ以前にも遠近法的表現はあった。古代ローマの壁画などに残されている。しかし、キリスト教権力で支配された中世は、前述し

遠近法理論で精確に描かれている。
カルロ・クリヴェッリ〈受胎告知〉1486。

たように平面的な表現を好んだ。光で満たされた表現である。

そして、ルネサンスがはじまった。遠近法とは、画家自らの目で描く対象を精確に把握しようとする技法である。その技法に数値を与えてリアルにしたのが、建築家フィリッポ・ブルネレスキとレオン・バッティスタ・アルベルティ。精確な遠近法が建築家のなかからでてきた、ということは象徴的である。建築には、神の判断よりも人間の判断を重視する必要があったからだ。

「影」の表現の登場

遠近法を使うことで、それまで追い求めてきた、「見たまま」を精確に描くことにいっそう近づいた。しかし、遠近法がレベルアップするのは「影」の表現が登場してからである。

その功績は、やはりレオナルド・ダ・ヴィンチに帰せられる。レオナルドの膨大なデッサン・ノートには、斜線で表現された影が多く残されている。この影によって、それまでの単色画とは一線を画し、絵画にリアリティが加わった。そしてこの斜線表現は、アルブレヒト・デューラーに受け継がれた。

レオナルドは、影表現にもうひとつ功績を残した。それは、「動き」のところでも触れたぼかし技、スフマートをより強調した、「キアロスクーロ」という、濃淡のつけ方だ。

キアロスクーロは、イタリア語で「明暗」という意味。明と暗の境目をはっきりさせるのは難しい。微妙に重なりあっているからだ。斜線の影もその輪郭をあいまいにしている。キアロスクーロは、そのあいまいさをグラデーションで表現する技法。レオナルドはこれとスフマートで〈モナリザ〉(一五〇三~〇六ごろ)を描いた。いまでは当たり前の、わざわざ

右)ハーフシャドーを斜線で表現しているレオナルド・ダ・ヴィンチ〈少女の頭部/「岩窟の聖母」の天使の習作〉1483-84ごろ。
左)斜線によるシャドー表現が際立つデューラー〈ヨハネ黙示録　黙示録の四騎士〉1498。

技法というほどのものではないが、当時は極めて新鮮だった。

このキアロスクーロを徹底的に強調したのがカラヴァッジョ。カラヴァッジョは、プロテスタント派と争っていたカトリック教会から、インパクトの強い絵を描け、と命じられ、陰影を極端に強調したとされる。このことで対象が神秘的になった。カラヴァッジョは、カトリック教会の要請に見事に応えたのだった。

カラヴァッジョの陰影表現は、その後、ジョルジュ・ラ・トゥール、レンブラント・ファン・レイン、ヨハネス・フェルメールらに影響を与えた。

このカラヴァッジョ風陰影表現の現代版がビートルズのアルバム・ジャケット『ウィズ・ザ・ビートルズ』。

四人のハーフ・シャドーの顔が暗闇に浮かび、遠近感は失われていてコラージュのように見えるが、これは一発写

真。リンゴが手前に坐っているが、四人のなかで一番顔が小さく手前にいるため余計に遠近感が狂っているように感じる。カメラマンは当時のビートルズの専属だったロバート・フリーマン。

日本絵画の平面性

ここで日本絵画の平面性についてみてみよう。西洋画との違いは、やはり一神教と多神教の違いに関わってくる。いやここでも、遠近法的世界と点景的世界といったほうがよいかもしれない。

遠近法的世界は、焦点が二つある場合もあるが、それを見る視点はただひとつ。画家の視点だ。一方、点景的世界は、多くの視点が空間を超えて結びついている。つまり、見る視点は、どこから見てもよいほどいくつもある。

ルネサンス以前では、神が隅々まで照らしているので影がなかった、と述べた。日本では、ルネサンス以前と表現は似ているが、神による光ではなく、多くの視点のために影は一様でなくなったことで影表現が生まれなかった。いや、影のことを考えなかった、といったほうが近い。

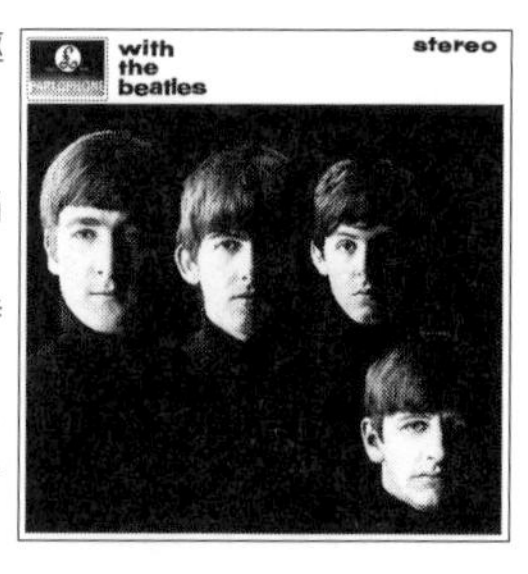

右ページ右）キアロスクーロを駆使しているレオナルド・ダ・ヴィンチ〈モナリザ〉1503-06ごろ。
右ページ左）暗闇の一部に光が当てられたようなカラヴァッジョ最晩年の作品〈ゴリアテの首を持つダビデ〉1609-10。
右）顔だけが浮かび上がっているザ・ビートルズ『ウィズ・ザ・ビートルズ』のジャケット、1963。

影のことを考えなかったのには、「奥」のところで触れた、禁忌意識もあった。影という奥に入っていくことを禁じたことによる平面性である（高階秀爾『日本人にとって美しさとは何か』）。

もうひとつ、ひらがなや家紋に見られるように、平面性に基づいた形への執着があった。リアリズムよりも、形が持つイメージが重視されたのだ。特にひらがなの登場は、漢字だけの堅苦しい世界に生命（アニマ）を与えた。

奈良時代にはじまって、平安時代に花開いた文化がある。模様のある紙を貼ったり、継いだりして、風景のイメージを表現した「料紙」と呼ばれた紙を下地に、歌人がそこに和歌などを記した文化である。

下地の自然のイメージと和歌が詠まれた世界を相乗効果で濃密にする。これが料紙の効用である。書道芸術とは別に、文字、特にひらがなを絵画の一部ととらえていたから表現に深みが増したのだった。

平安時代の和歌は分かち書きとか、散らし書きと呼ばれた、自由な文字レイアウトを基本としていた。そこで重要となるのは「余白」である。文字と料紙以外の余白の有り様によって、和歌はよりいっそう際立ってくる。

右）平面的な源氏物語絵巻の一葉〈宿木（一）〉平安時代末期。
左）料紙に描かれた平安時代の歌人の和歌。源重之（みなもとのしげゆき）の家集『重之集（西本願寺本三十六人家集）』12世紀はじめ。

いい方を変えれば、和歌の、文字通り輪郭が浮かび上がり、輪郭はまさに形となり、その形を際立たせるのが余白だった。

　そして、余白によって形を際立たせようとしたところから、必要なものだけを描く、という方向に向かう。俵屋宗達や尾形光琳などの、不必要だと思われる背景を塗りつぶすか、カットして対象だけを描いた手法である。

　俵屋宗達や尾形光琳などの、モティーフを際立たせるために背景をカットする方法を、前出の高階秀爾さんは、「切り捨ての美学」（高階、前述書）と呼んだ。背景を切り捨てることでモティーフの形はクリアになる。形を際立たせるという意味においては、これは西洋の博物画と重なる。

　西洋の博物画は、観察し、記録するために、科学的知識をもとに描かれた。美しい博物画も多いが、目的はあくまで記録である。一方、江戸時代の絵画は、観察によるところは同じだが、目的が違った。形が持つ美を浮かび上がらせることである。

　そして、前述したように、奥に踏み込まない（立体的にしない）

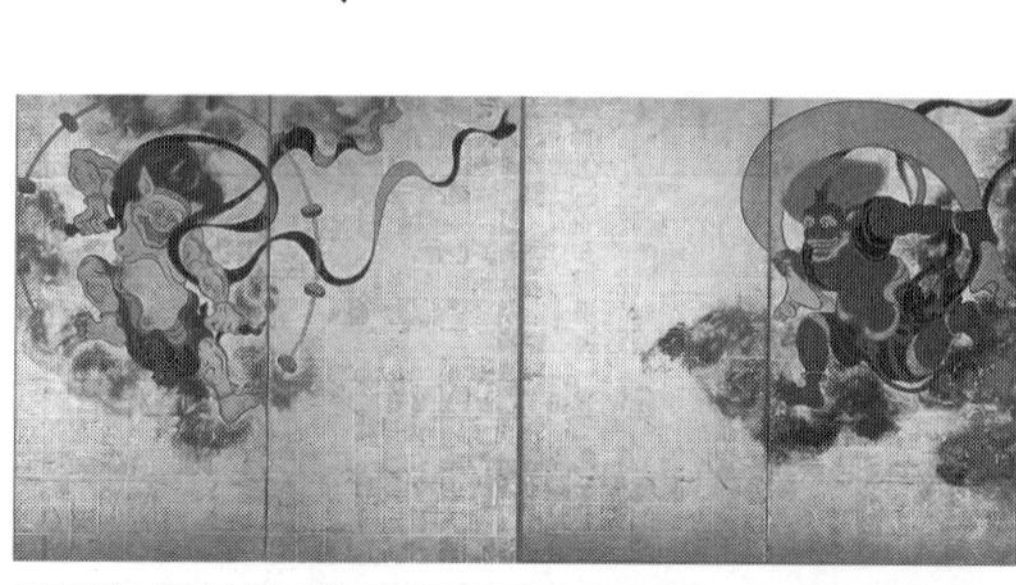

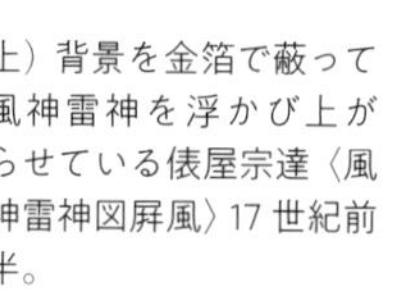

上）背景を金箔で蔽って風神雷神を浮かび上がらせている俵屋宗達〈風神雷神図屏風〉17 世紀前半。

下）尾形光琳も俵屋宗達と同様、背景を金箔で蔽っている。尾形光琳〈燕子花（かきつばた）図屏風〉18 世紀はじめ。

で、輪郭が持つ力を強調する。この延長に、輪郭を重視した浮世絵の表現法があった。影が入り込む余地はなかったのだった。

写実画の隆盛と平面画の衰退

幕末から明治にかけて、ヨーロッパから西洋画が入ってきた。影がついて立体的に見える写実画である。日本の画家たちは衝撃を受けて、西洋画に走った。

平面的な表現の浮世絵の価値が下落したのもこのころ。明治政府は先頭に立って、江戸時代の文化を否定しようとした。江戸時代を代表する浮世絵などの絵画は、日本国内では価値が認められていないので、海外に二束三文で売られた。だから当時の絵画の主なものの多くは、欧米の美術館の所有になってしまっている。

特に浮世絵の扱いは、ひどいもので、ヨーロッパに輸出する陶磁器などの包み紙として使われたりした。これが、ゴッホや

モネの目に留まり、皮肉にもジャポニスム（日本びいき）・ブームが起きた。アール・ヌーヴォーの流行も、日本の植物文様に刺激されたという。

日本では、西洋から入ってきた写実画が隆盛を極めていったが、西洋では皮肉にも、ジャポニスムの影響などもあって、平面性をもとした二〇世紀に花開く抽象画の方向に向かう。二次元絵画である。

地図記号のはじまり

地図記号は、記号というよりも絵によるアイコンとしてはじまった。輪郭線を持つ具象画である。

歴史に残る地図のアイコンは、羅針盤が航海に使われるようになった一四世紀後半のスペインの「カタロニア図」に見られる。カタロニア図とは、マルコ・ポーロの『東方見聞録』や十字軍遠征などで地理の知識が増えたところから描かれるようになった地図。カタロニア語（スペイン、カタルーニャ地方の言語）で書かれたところからその名がついた。

カタロニア図は、海の各場所の方位を示すための羅針図（コンパス・ローズ）の放

右ページ
右）背景が浮世絵の模写で埋められている、ゴッホ〈タンギー爺さん〉1887。
左）着物、扇子、団扇と日本趣味が全面に満ちているモネ〈ラ・ジャポネーズ〉1876。

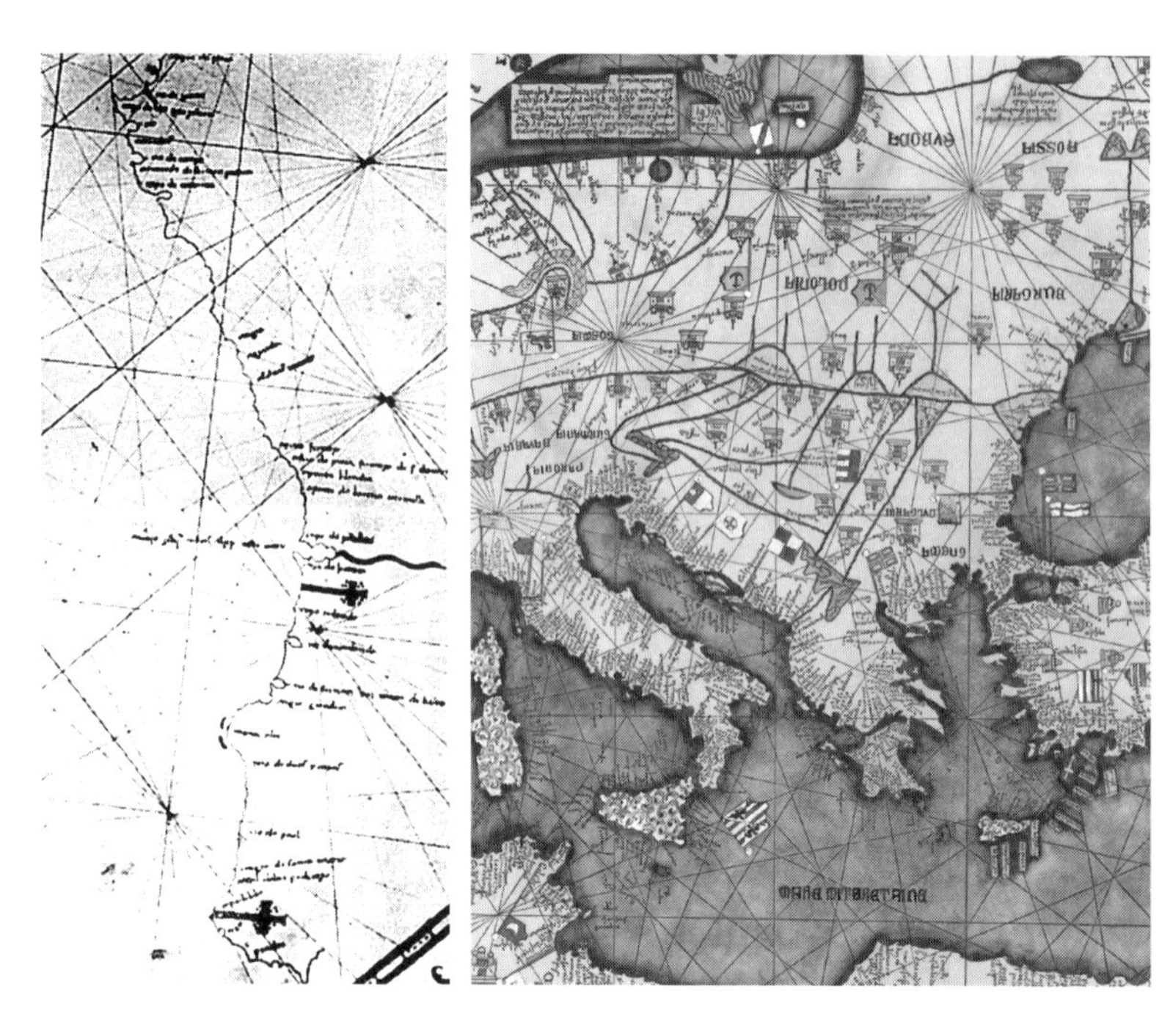

射線がはじめて地図に描かれたことでも知られている。そこに、帆船や、スルタン（イスラム教国の王）、建物（教会、モスク）、国旗・豪族旗、らくだなどの写実的なアイコンをちりばめている。

ただし、地図制作者の関心は、自然がなす地形よりも、誰の領土か、ということに向けられていた。一四九〇年ごろにポルトガルで描かれたアフリカ沿岸地図では、十字架の記されているところがある。ポルトガ

右）東地中海周辺を描いたカタロニア図の一部、1385。放射状の線がコンパス・ローズ。
左）ポルトガルの航海士、ディオゴ・カンの探検航海を記した、アフリカのギニア湾東岸からサンタ＝マリア岬までのポルトラノ型海図（カタロニア図）、1490 ごろ。

ルの土地領有を示す印だ。

このカタロニア図でも、同じような建物を指すときはそれぞれに似たような絵が描かれていたが、一六世紀には、その手法が加速し、写実的ながら、同じ内容を持った絵は同じ絵を流用するようになった。記号化がはじまったのだ。

そして、一七世紀後半、ルイ一四世が、測量に基づいた精確な地図作成を命じた。ルイ一四世の時代は、ヨーロッパ一の強国となるなど、フランスの絶対主義の最盛期。ルイ一四世は、自らの領土を確認して自己満足に浸りたかったのかもしれない。

そこで、フランスの測地学者、ジャン・ピカールがパリを通過する子午線の測量をはじめ、そのあとをカッシーニ一族がまかされた。カッシーニ一族の地図づくりはここからはじまった。

カッシーニ一族四代は、ほぼ一世紀をかけて地図づくりに邁進し、かくして、近代地図の基本的な表現方法が確立する。もちろん、従来の写実的な図は消え、教会、建物、風車、森林などあらゆるものが記号化されていった。

ちなみに、カッシーニ一族は、三角測量で地図をつくったため、地図の至ると

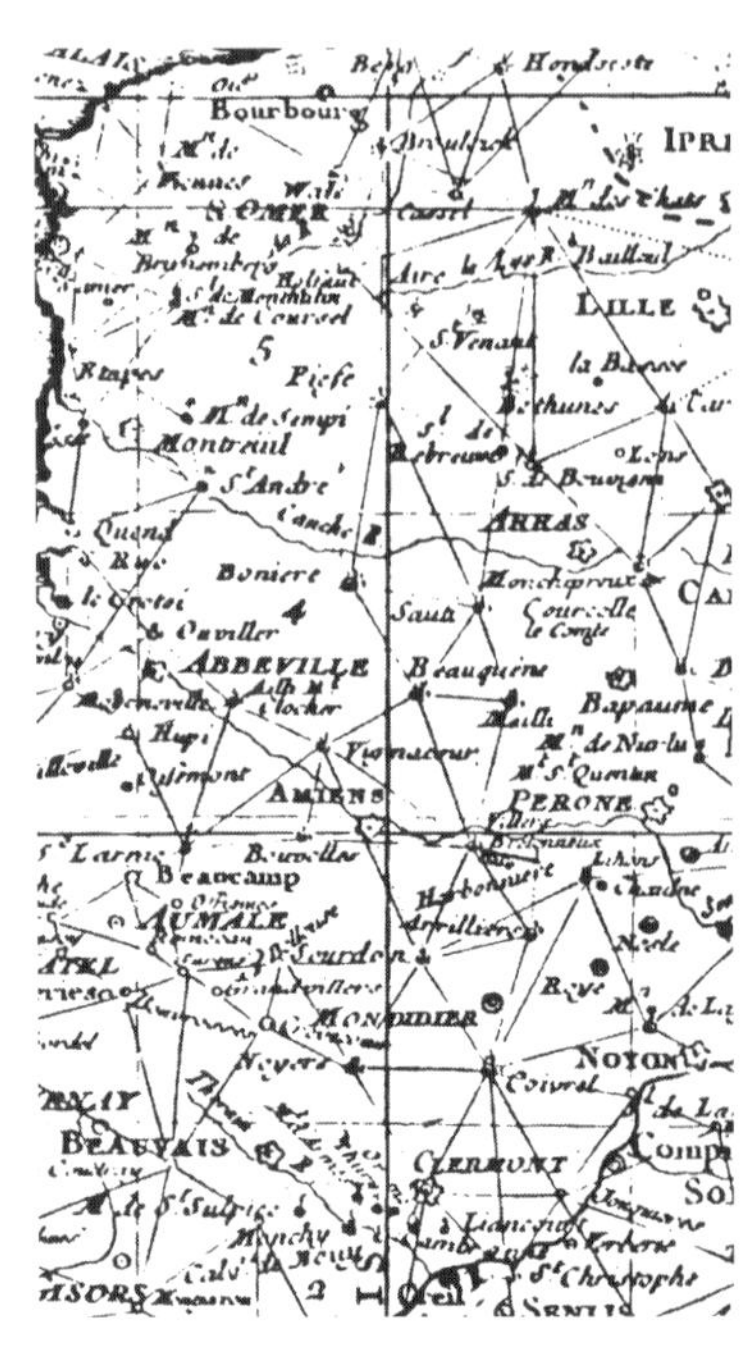

ジョヴァンニ・マラルディとジャック・カッシーニによるフランスの三角測量図（部分）、1744。

ころに計測した三角が描かれた。3D画像における網状の構造を示した図も三角法でつくられるところから、「カッシーニの三角測量」と呼ばれているらしい（ミカエル・ロネー『ぼくと数学の旅に出よう』）。

影を持つ地図記号

明治政府は、近代国家に生まれ変わるにあたって、国の地図作成の必要性を痛感した。特に軍用として重要だったから。江戸時代の地図は浮世絵師の仕事だったが、明治では洋画家が担当した。

そこで地図のベースとなったのは、明治六年（一八七三）、フランスの地図を参考にした彩色地図。そこに、ドイツ式を参考にした地図記号が加わった。ドイツに

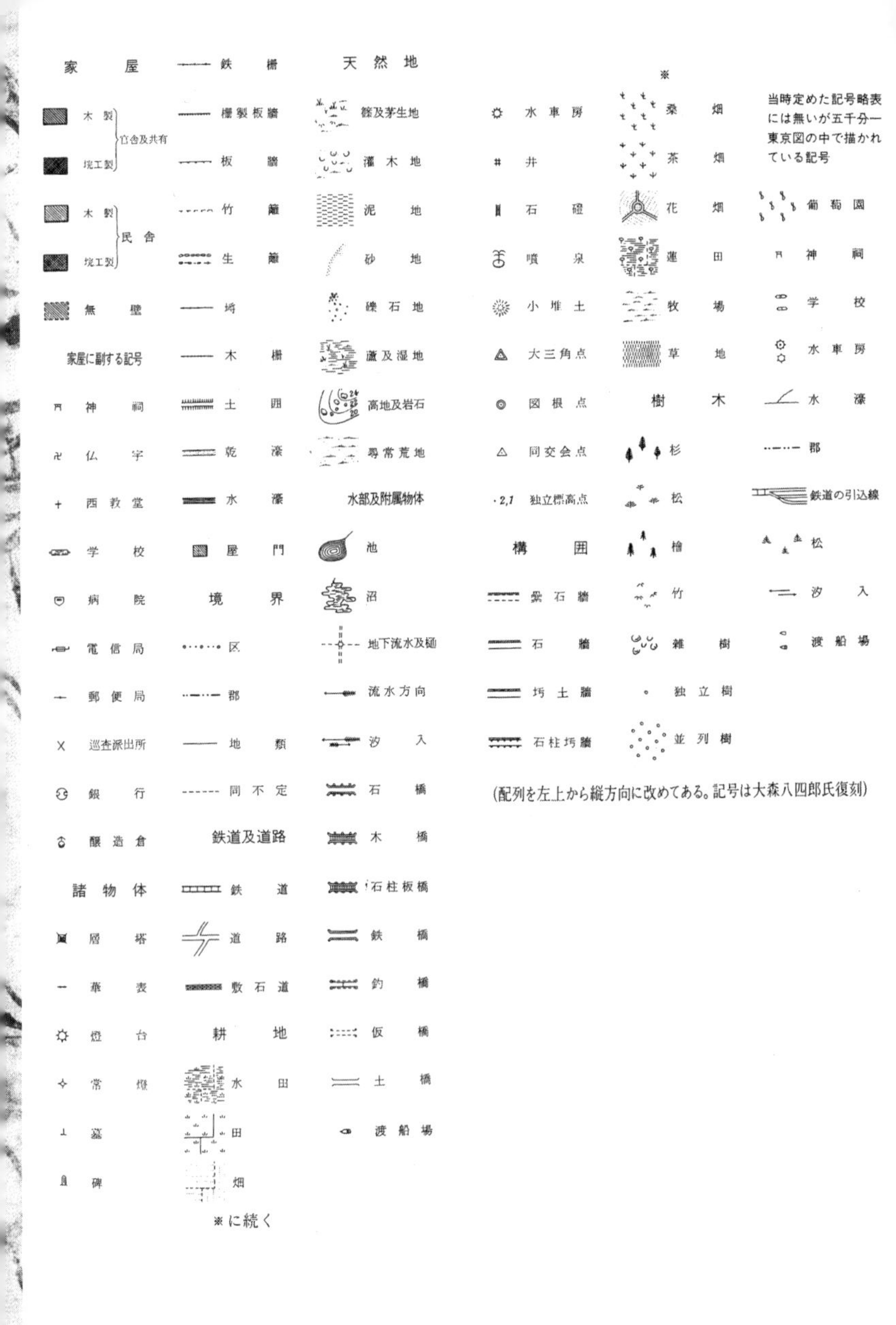

明治13年式図式の地図記号。

ない神社や温泉はオリジナルでつくった。

明治一八年（一八八五）発売の五万分の一の地図では、七五種の記号が掲載された。これが明治後期ともなると一挙に三〇〇種まで増える。日本には家紋という記号をつくってきた歴史があるので、記号化には自信があったのだろう。

ちなみに、オリンピックにおける競技のピクトグラムは、一九六四年の東京オリンピックではじめてつくられた。それまでのオリンピックは英語、フランス語、ドイツ語圏で行われていたため、言語の壁はそれほど高くなかったが、アジア圏初のオリンピックということで、「文字を使わないでわかる」が重要事項となったからだ。

ともかく、こんなにたくさんあった地図記号も、太平洋戦争後、半分の一五〇種に減り、定着する。といっても、ドイツやスイスの地図では略字も含めてそれぞれ一三〇種、一二〇種なので、日本の記号数はそれより多く、記号へのこだわりは強い。

地図記号というものは、もともと真上か真横から見て輪郭をとったものが多く、立体的に描くというようなことはほとんどなされない。ところが、日本の地図記号のなかには注目すべき表現があった。立体的に見えるようにする工夫である。

明治になって、西洋画の影響で、影を使って立体的（奥行きがある）に見えるように描かれた絵画が増えたことはすでに触れた。地図記号も、彼ら洋画家がデザインしたことで、立体性がつけ加えられた。つまり記号に、影がつけ加えられたのだった。

立体的な地図記号

たとえば病院記号は、明治二四年（一八九一）に十字が登場したとき、十字記号の右・下側のアウトラインが左より少し太く描かれている。その後、十字に枠がつき、枠の右側が影のように太くなっている。

裁判所記号は、江戸時代の判決が書かれた立て札をモティーフとしているが、それも立体的に見えるように右側を太くした。錠前を象った最初の刑務所記号も立体的である。

圧巻は、記念碑と煙突。どちらも厚みプラス、地面にその影が落ちている。影の長さを見ると、太陽が天頂に近い昼前後と思われる。

病院の地図記号の変遷。
左）明治 24 年（1891）式図式。
中）明治 28 年（1895）式図式。
右）昭和 30 年（1955）に制定された現在の図式。

裁判所の地図記号の変遷。
左）明治 18 年（1885）式図式。
右）昭和 30 年（1955）に制定された現在の図式。

刑務所の地図記号の変遷。
左）明治 18 年（1885）式図式。
右）明治 28 年（1895）式図式。昭和 40 年（1965）に廃止。

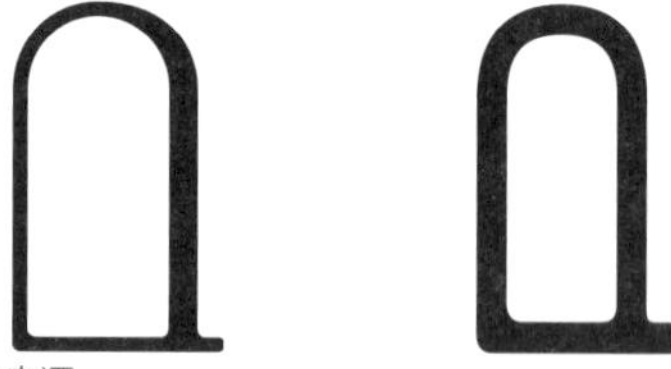

記念碑の地図記号の変遷。
左）明治 16 年（1883）式図式。
右）昭和 35 年（1960）に制定され現在に至る。

煙突の地図記号の変遷。
左）最初の煙突記号は、煙突を真上から見たものだった。中心の点は円のなかが詰まっている、という意味。漢字の「日」や「月」ももともとはなかが横線ではなく点で、これも中身がある、という意味。
中）明治 24 年（1891）、煙突に自体の影と地面に落ちた影がつく。
右）昭和 35 年（1960）に現在の均等な線のものになる。

広葉樹林・針葉樹林・竹林・ヤシ科樹林・桑畑のそれぞれの地図記号の変遷。上の４つは、間に２点リーダーの影が入る。
左）明治期。右）昭和 40 年（1965）に制定され現在に至る記号。

地面に落ちる影は、畑や樹林にも適用された。広葉樹林・針葉樹林・ヤシ科樹林・桑畑だ。しかも、広葉樹林・針葉樹林・ヤシ科樹林の影は、グラデーションのように、徐々に小さくなる三点リーダー「…」（のちに二点となる）で示され、最終的に横線のみとなった。

ひとつまみの不純物がもたらす深み

立体性を拒否してきた日本の表現法のなかに、西洋画の影響で、立体性が入ってきたと述べた。しかし、それまでの平面性も捨てがたい。そこで登場した表現が、線に強弱をつけたり横線による影表現である。

ちょうど、明治に欧米から横組みが入ってきたとき、横組みもどきとして、右から左に読む一行一字の縦組み、あるいは、書字方向を縦組みのままにした横組みを採用したことに似ている（「縦」参照）。影や厚みを持った記号は、いわば立体もどきである。線に強弱をつけることは、「動」で触れた、太古の洞窟画の、動きをあらわすために足を太くしたり、胴を長くする表現にも似ていて「動勢」も生じ、その動きによって立体感が強調される。

また、地図記号というものは、シンプルであればあるほど見やすい。平面性は欠かせない。そこに影らしきものという微妙なニュアンスをつけ加えたことは、一休禅師が掃き清められた庭にわずかな花びらを散らすことともつながっているように感じる。

この「微妙なニュアンス」は、松岡正剛さんにいわせれば、「ひとつまみの不純」物ということになる。

ひとつまみの不純こそ全体の純粋の加速装置である。（松岡正剛『雑品屋セイゴオ』）

ほんのちょっとの不純物によって全体が生き生きとしてくる、というのである。その不純物が、記号にとってさして必要のない厚みや影。その不純物が単なる地図記号に深みをもたらしている。

また、植物テーマの家紋のほとんどがコンパスひとつで描けるのを子ども番組で観たことがある。ほんのちょっとした曲線も円の一部なのだ。この立体的地図記号も厚みや影、ディテールをなおざりにしない感性の延長線上にあるのだろう。

ちなみに、地図記号も永遠に使われるわけではない。需要が減るなど、時代に合わなくなって廃止された記号、時代の要請で新しく生まれた記号もある。

たとえば、新しく生まれた記号としては、博物館、図書館、老人ホーム、電子基準点など。戦後数十年で廃止された記号は、火薬庫、水車、銀行、古戦場、都道府県庁、牧場、電報・電話局、工場、採石地、重要港、その他の樹木など。

桑畑の地図記号（一〇九ページ下）も二〇一三年に廃止された。

桑は、蚕のエサとなる。戦前の農家の約四割は桑畑を持っていたという。蚕が吐きだす糸が生糸になり、灰汁（あく）などで煮ると絹糸になる。

日本の製糸業は、明治以後、世界でも有数の輸出産業となり、日本の近代化を支えた。したがって桑畑は、生活を支える大事な「おカイコ様」を育てるための畑であり、人びとは桑畑を神聖視した。何かとんでもない災厄が降りかかってきたときに唱える、例の「くわばらくわばら（桑原桑原）」も、桑畑の神に助けを求めるおまじないだという説もある（佐藤健太郎『世界史を変えた新素材』）。

ところが化学の発達で、ナイロンやポリエステルなどの合成繊維が発明され、絹の需要が大幅に減った。そのため桑畑をほかの畑に転用したり、残された桑畑の管理も滞るようになった。そして、とうとう地図からも消えた（佐藤、前掲書）。

六章　余

充実する余白

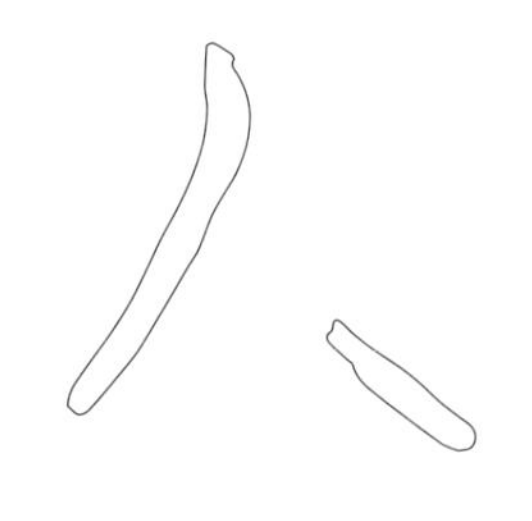

ひらがながもたらした余白感

余白とは図にたいする地のことをいう。「余白が活きている」というときは、図を引き立てるために地が活躍しているときに使う。

余白の効用の発見は、日本ではかなり早い。本書で何度も言及しているが、ひらがなが誕生し、漢字のいわばグリッドに沿っているかのような世界観に、グリッドを超える表現をもたらしたときだ。

ひらがなは、アルファベットのように一文字では意味をなさない表音文字。ただし、アルファベットと大きく違うところは、漢字という、一文字に意味を持つ表意文字から派生したこと。つまり表意文字のニュアンスを持った表音文字、ということができる。

そのため、ひらがなを記すとき、漢字二〜三文字分のスペースを使って書いたり、逆に漢字一文字分より小さく書くなど、臨機応変、変幻自在ということばが似合うほどリズミカルに表現される。

それはあたかも、意味を持っていないはずのひらがなに、意味を認めようとする試みのようにも思える。ひらがなの縦横無尽なサイズ感、空間感が余情を引きだしているように見えるからだろう。これによって、何もない無意味だったはずのホワイト・スペースに存在意義が加わる。ホワイト・スペースは、全体を引き立てるために必要不可欠な空間となった。

そして、ひらがなが和歌を記すための紙、料紙などの背景表現をともない、より余白を活かした表現が極まっていく（「影」参照）。

ひらがなを支える料紙

料紙とは、千代紙を切って貼ったり、そこに波などの文様を描き入れた、いわばコラージュされた書字用紙。千代紙とは、さまざまな文様が描かれている紙。奈良時代に、宮廷での贈答品などの包み紙用として生まれた。「継色紙」、「寸松庵色紙」、「升色紙」があり、あわせて「三色紙」と呼ばれる。どれももとは冊子だったので冊子ごとに色紙の名があるが、表現形式は同じ（次ページ）。

余談ながら、こうした文様文化のルーツもかなり古い。縄文土器にびっしり描かれた渦巻きなどの線条文様がそのきっかけといってよいだろう（次ページ）。アイ

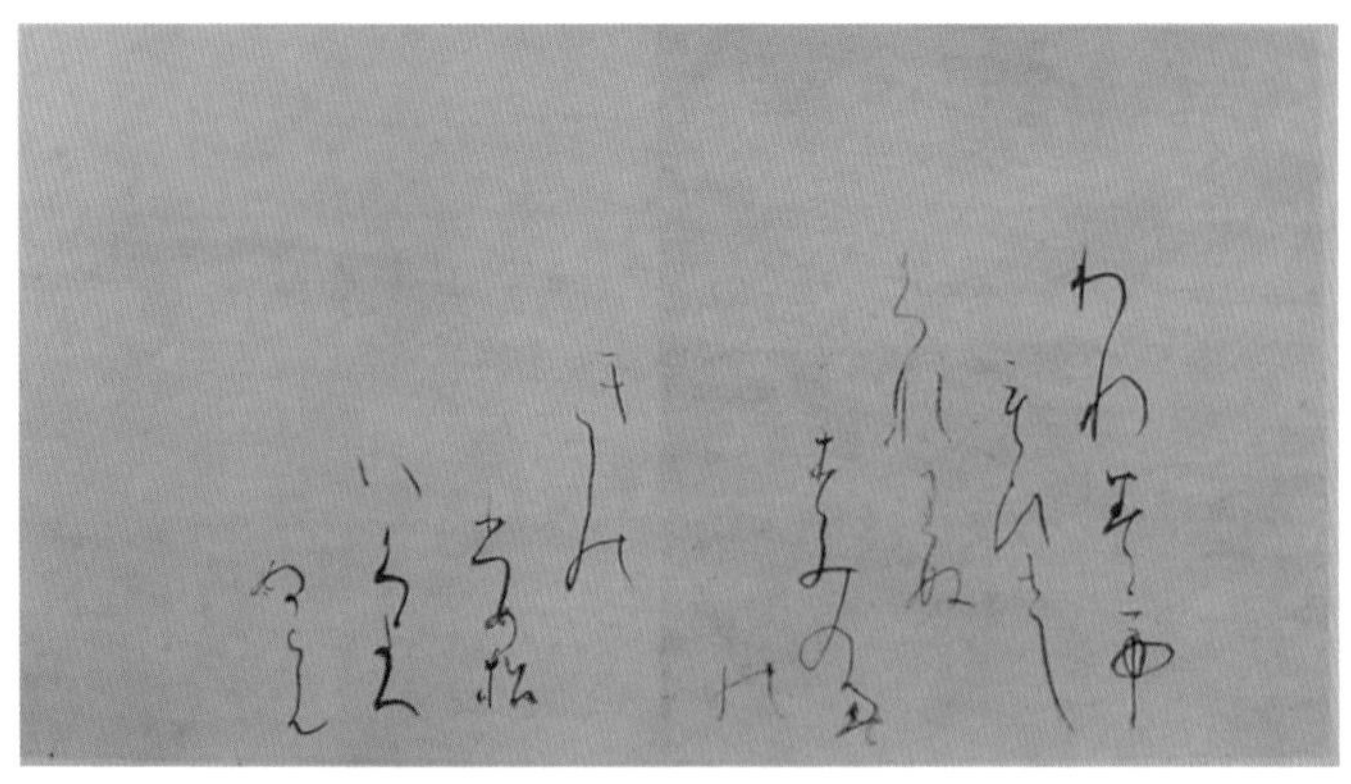

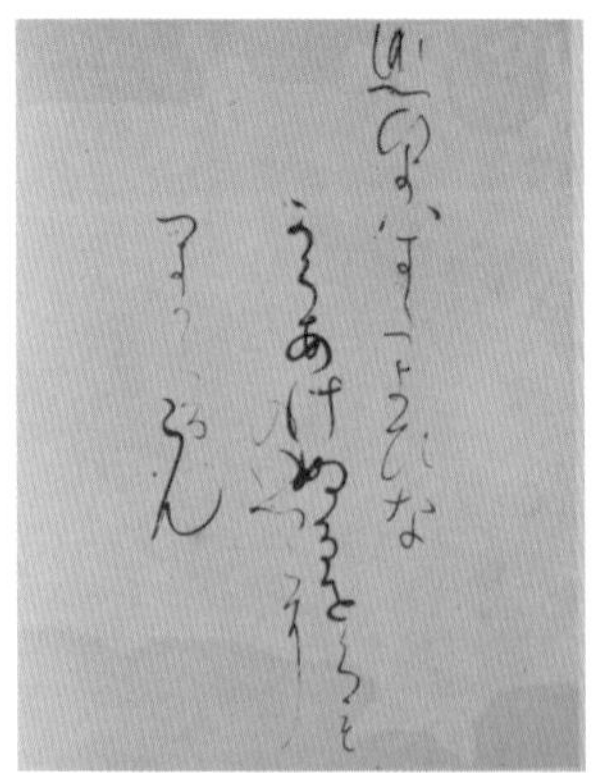

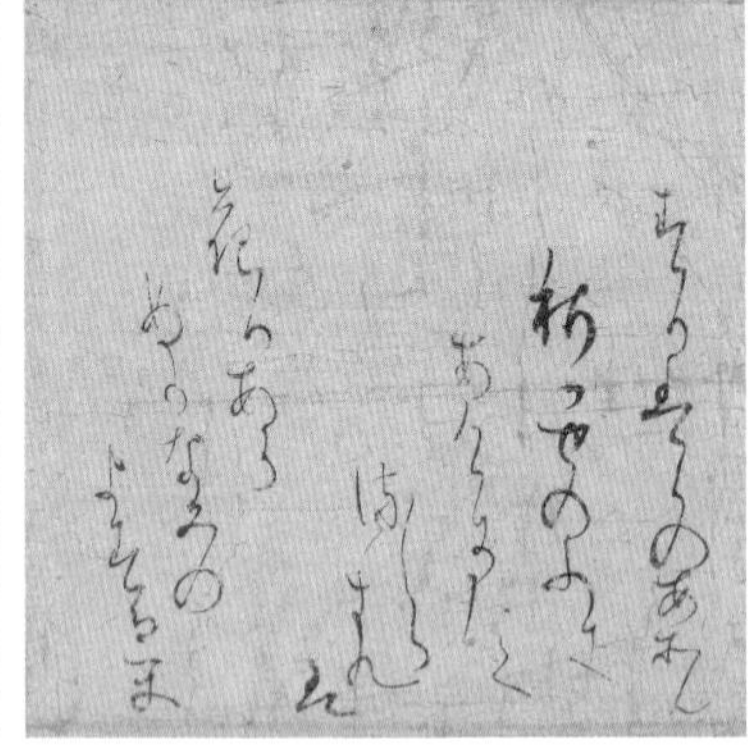

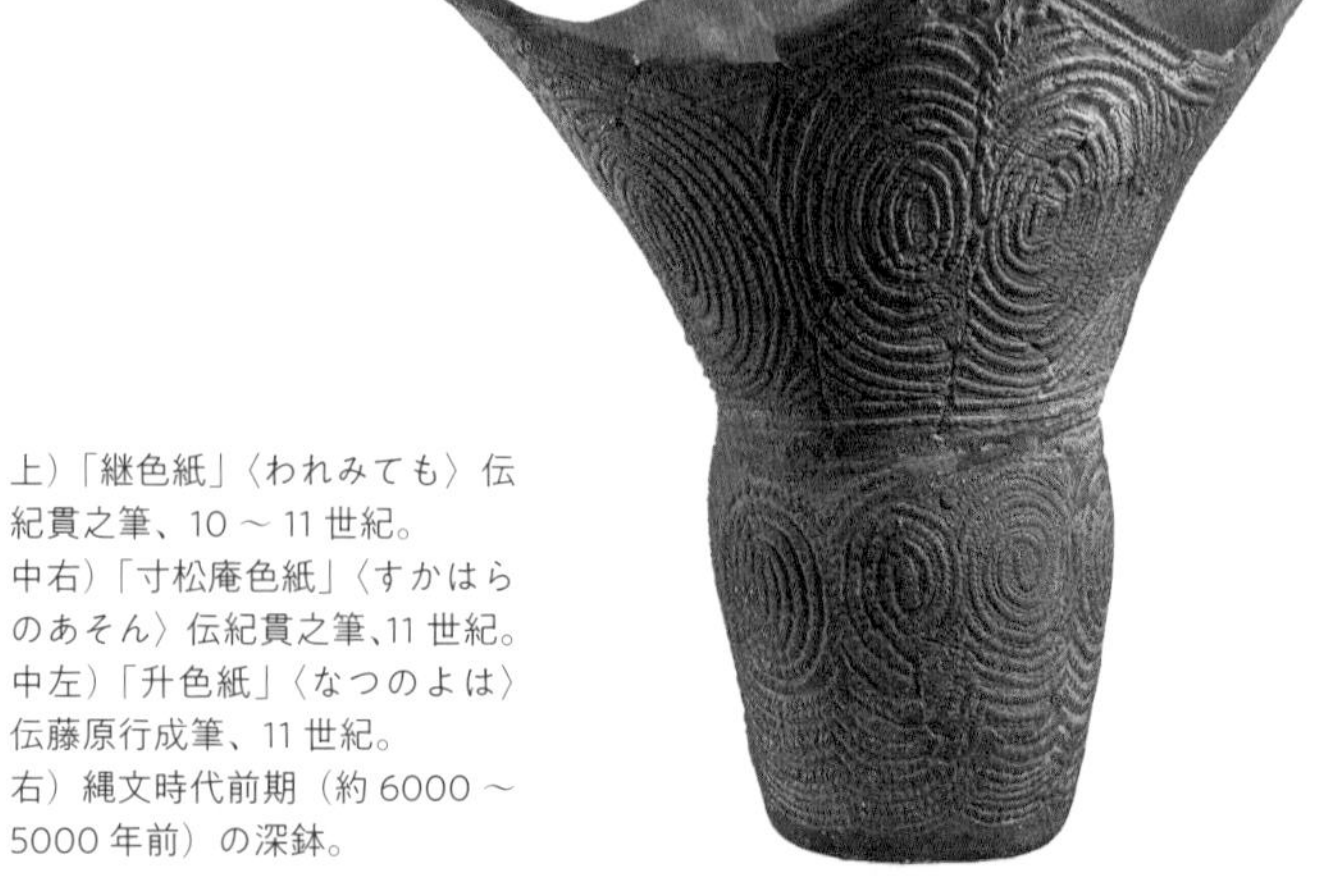

上）「継色紙」〈われみても〉伝紀貫之筆、10 ～ 11 世紀。
中右）「寸松庵色紙」〈すかはらのあそん〉伝紀貫之筆、11 世紀。
中左）「升色紙」〈なつのよは〉伝藤原行成筆、11 世紀。
右）縄文時代前期（約 6000 ～ 5000 年前）の深鉢。

ルランドの、装飾でびっしり埋められている『ケルズの書』の誕生が八～九世紀ごろで、日本の装飾文化もほぼ同時期にはじまっている。

料紙の誕生も、千代紙と同様、奈良時代。だが、発展したのは、やはりひらがなが誕生した平安時代。ひらがなが交じった和歌は、料紙に記されることで、ひらがなが持っていた縦横無尽さがより一層引き立てられた。

平安時代に書かれた源重之の家集『重之集（本願寺本三十六人家集）』の一葉を観ると、小舟と笹が描かれた中心と、薄い色の波模様が連続している背景に分かれている。そこでは、中心と周囲を移ろいゆく視線の往還が楽しめる。ここですでに図を引き立てるための地の役割が確立している。

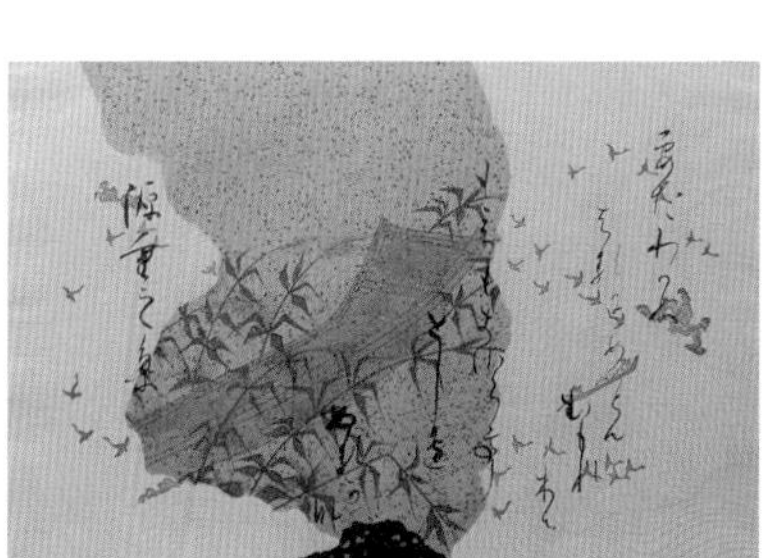

上）アイルランドの福音書の写本『ケルズの書』（8～9世紀ごろ）の1ページ。
左）料紙に書かれた平安時代の歌人の和歌。源重之の家集『重之集（西本願寺本三十六人家集）』12世紀はじめ（「影」参照）。

背景の省略

料紙表現が極まると、背景はどんどんシンプルになっていく。余計なものを加えないでテーマに純粋に接近できるような表現を模索するようになる。

そして登場したのが、高階秀爾さんがいう「切り捨ての美学」。「影」でもいくつか例を挙げて触れているが、ここでもう一度みてみよう。

まず、屏風全面に金箔を貼った金碧障屏画（しょうへいが）。金箔を貼ることで豪華になり権勢を誇示することにもつながるが、それ以上に何も描いていない余白が、光り輝くことで活きてくる。光溢れる空間のなかで対象も際立つ。文字通り余白が活き、余白が主張するのだ。

金碧障屏画の代表的画家として、狩野永徳、長谷川等伯、俵屋宗達、尾形光琳らがいる。彼らの金碧障屏画は、背景を描かず、求める対象だけを描く。切り捨ての美学である。狩野永徳の場合は、〈源氏物語

雲表現を使ってディテールをはぶいている〈源氏物語絵巻　橋姫〉平安時代末期。

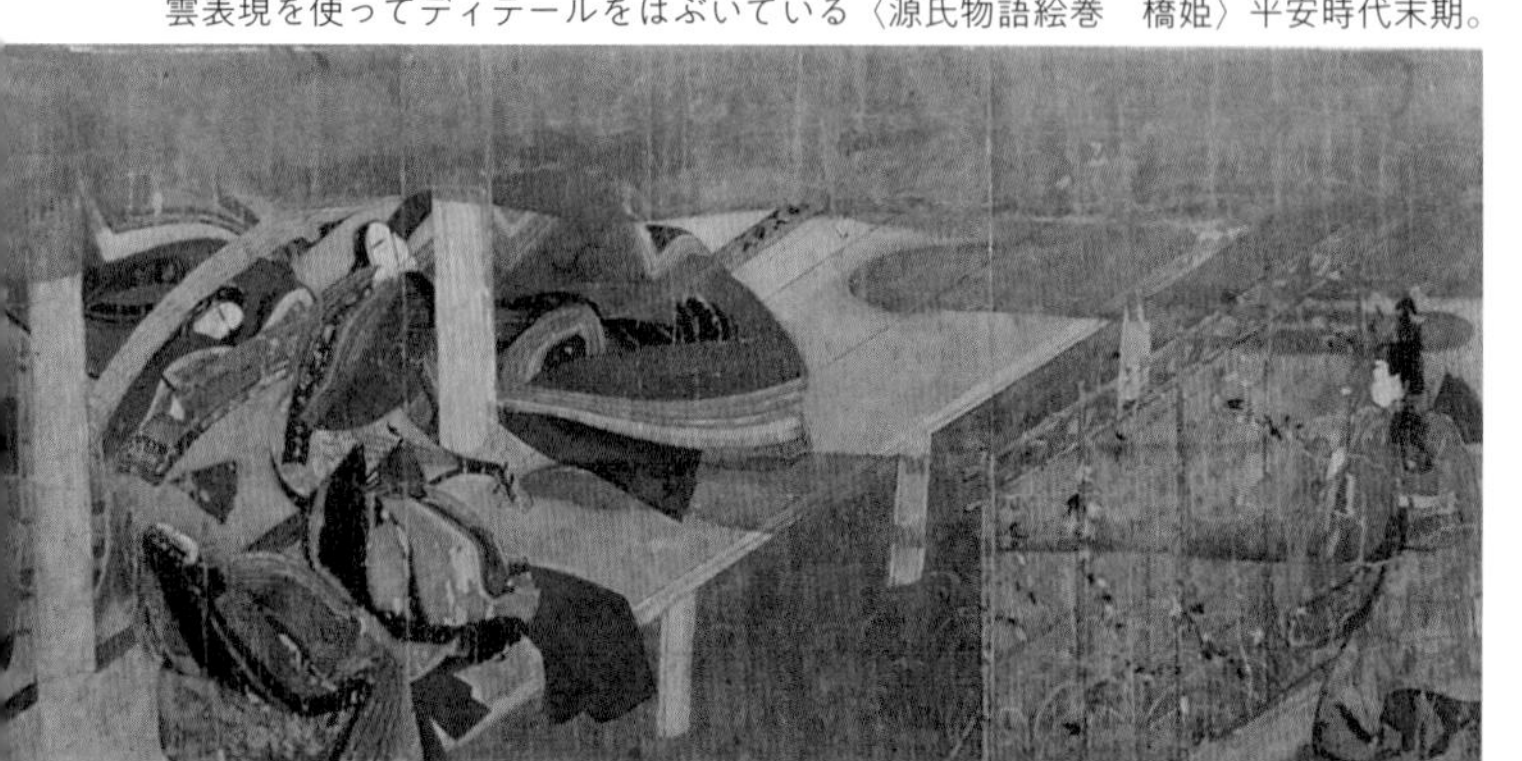

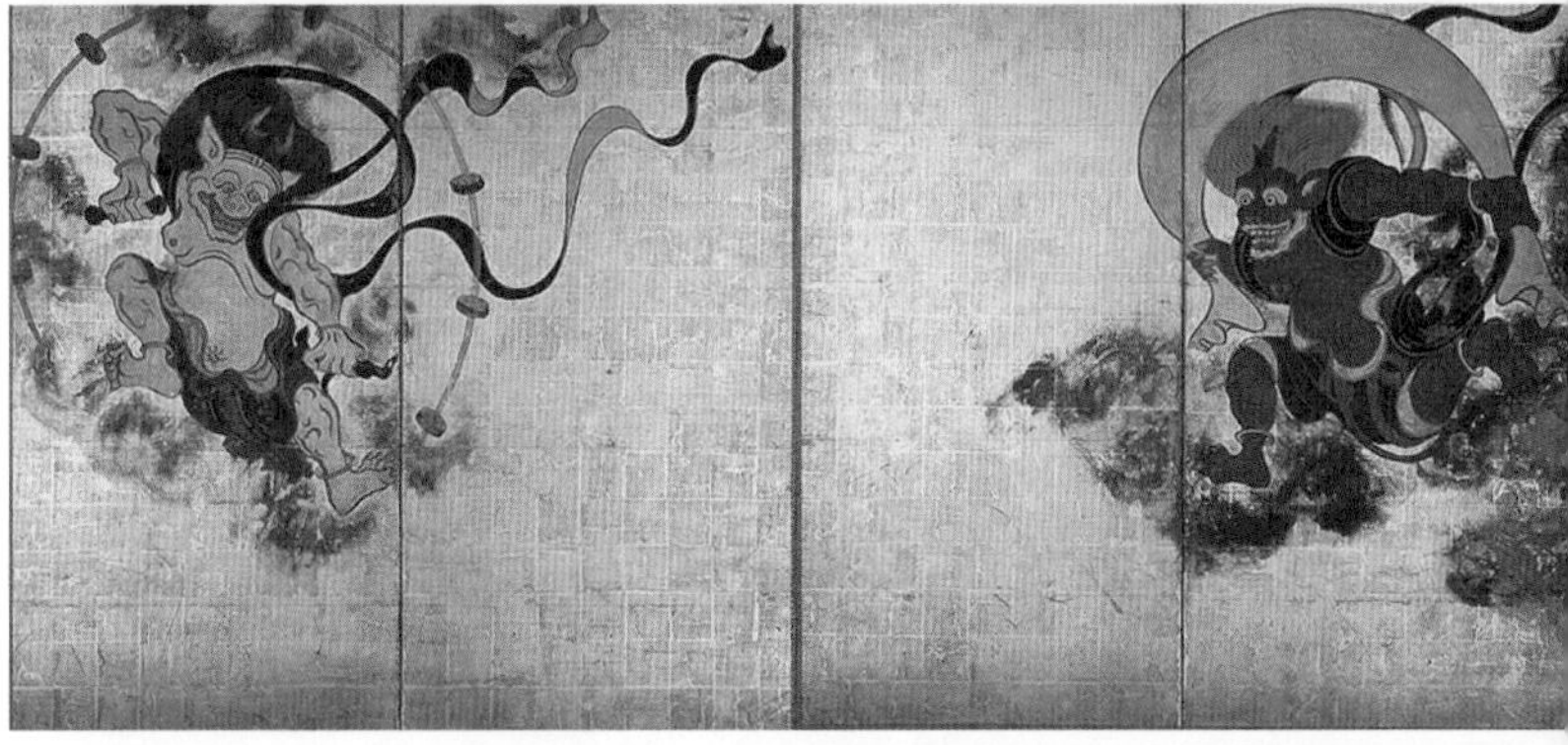

上）雲で背景を省略した狩野永徳が中心となって描いた〈唐獅子図屛風〉16 世紀後半。
中）背景を描かない俵屋宗達〈風神雷神図屛風〉17 世紀前半。
下）同じく背景を描かない尾形光琳〈燕子花図屛風〉18 世紀はじめ。

絵巻〉以来伝統的な雲表現で背景を省略した。長谷川等伯以降は背景を完全に省略している。

この余白表現の発端は、前述の〈源氏物語絵巻〉を除けば、水墨画が中国から入ってきて日本的展開がはじまったときといえる。

水墨画は、中国ではじまったころから近景と遠景を描き、途中の中景は省略していた。遠景の下端をぼかしてあいまいに描くのが省略の仕方である。

この表現法が日本にも伝来し、鎌倉時代後期の一三世紀後半から、日本的水墨画が描かれるようになった。日本の水墨画が中国のものと大きく違うところは、モティーフがあまり中心にレイアウトされないこと（「周」参照）。

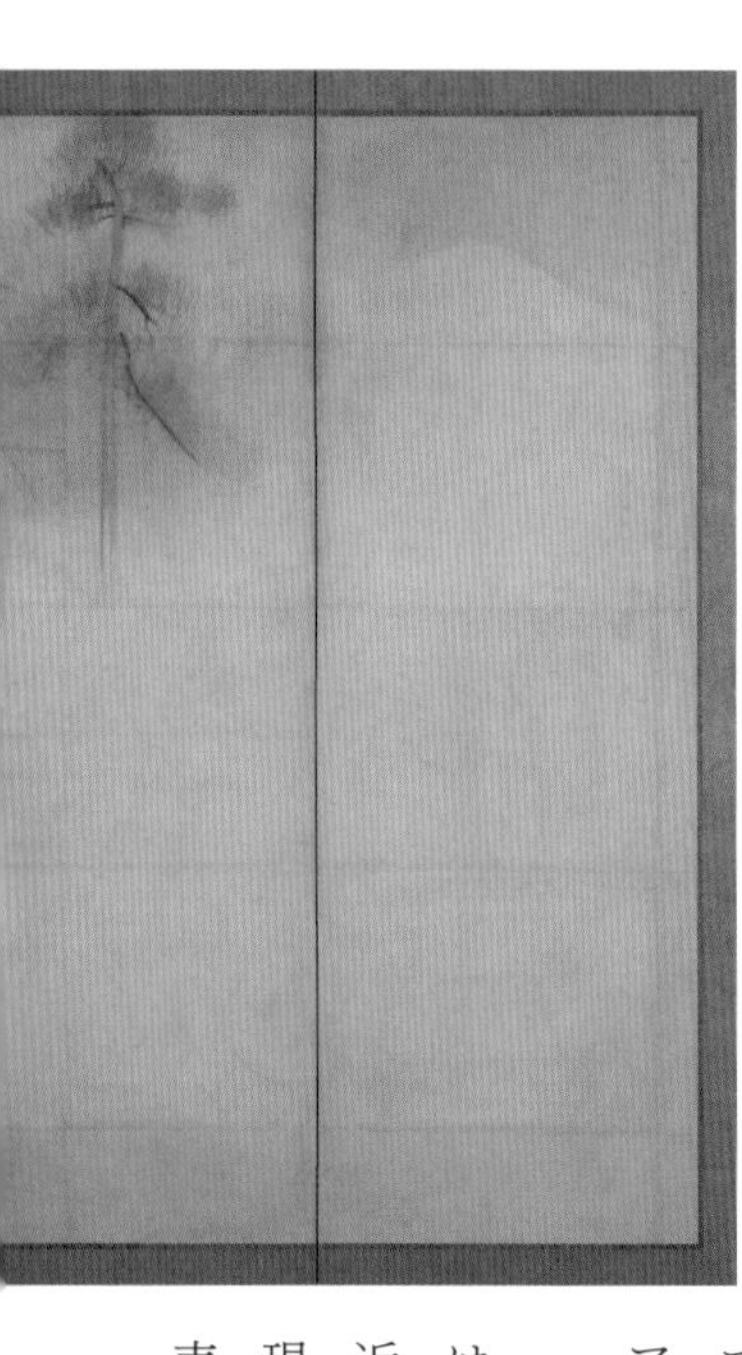

もうひとつの違いは、日本では中景の省略が徹底的に行われ、近景と遠景のみに的を絞った表現があらわれたことだった。代表的人物として、水墨画家で禅

僧の雪舟らがいる。

雪舟らに影響された長谷川等伯の水墨画では、木と木の間が絶妙な間隔で描かれて、余情の醸し方がより巧緻になっている。

そして〈源氏物語絵巻〉にあった雲表現が、一六世紀はじ

上）長谷川等伯の水墨画〈松林図屏風〉左隻、16 世紀末。
左）中景を雲で蔽った雪舟〈四季山水図　秋景〉15 世紀。

めごろから描かれはじめた一連の〈洛中洛外図〉などに受け継がれる。ここでは、近景と遠景も含めた多くの景色を雲を介してつないでいる。

この中景を省略した近景と遠景表現は、江戸時代の浮世絵でも中心を占めた。葛飾北斎〈神奈川沖浪裏〉では、近景の波によって中景が省略され、遠景として富士を描いている。ゴッホが模写したことで知られる歌川広重〈亀戸梅屋舗〉は、近景の極端なアップで中景の存在を薄くしている。

しかも、どれも平面的である。ちょうど舞台の書き割りのように、平面的な遠景の手前に平面的な中景がきて、そのまた手前に平面的な近景がくる。そこには奥行きという連続性はない。近いものは前にくるだけだ。

やはりここにも点景観がある。多くの視点が一枚の絵に集められているのが点景である。その各々の視点の間を雲あるいは空白でふさぐことで、視点と視点の間の距離感を減殺している。それが近景の視点、中景の視点、遠景の視点と一見書き割り的なデジタル感を醸しだす。

京都市中とその周辺を描いた、岩佐又兵衛〈洛中洛外図屛風〉17世紀。

上）葛飾北斎〈冨嶽三十六景　神奈川沖浪裏〉19 世紀前半。
左）歌川広重〈名所江戸百景　亀戸梅屋舗〉19 世紀半ば。

空白の意味

江戸時代の絵師、土佐光起(とさみつおき)は、「白紙も模様の内なれば、心にてふさぐべし」（『本朝画法大全』一六九〇）と述べた。白紙部分は想像力で補え、というのだ。

雲や空白、金箔が敷き詰められた色ベタ部分は、単なる何もない空間ではない。ものいう空間である。それが「余白」というものの存在意義だが、具体的には、自然の風景をイメージしていると思われる。

日本人は、四季の移り変わりを屋内でも感じとろうとしてきた。それが縁側であり、外の風景が透ける障子についた窓、屏風、襖である。季節ごとに襖や屏風を変えるのも十全に季節を味わい尽くしたいがため。

借景ということばがある。庭園をつくるとき、庭園の外の山や森も庭園の一部として造園することをいう。外の風景を借りて自分の庭としてしまうことである。

その借景の発想が、家のなかにも持ち込まれる。庭が、襖や屏風の白地、金地にイメージのなかで映り込む。そこに（見えないけれど）風景があるように感じる。

それは、西洋のように自然と対立し、克服しようとするのではなく、自然との一体化・同化を望んできた日本人の暮らしである。

自然のなかに人工の領域を執拗に把握することが西洋人の態度であり、それが西洋建築に如実に示されている。それを人間中心的態度とよぶとすれば、われわれ日本人の態度はきわめて自然的である。前者は自然に対立して人間がその存在を維持しようとする態度であり、後者は人間が自然のなかに姿をかくして、それと融和しようとする態度である。（木村重信『東洋のかたち』）

ベラスケスの背景省略の試み

ちょうど俵屋宗達が〈風神雷神図屏風〉を完成させたころとほぼ同時期に、スペインのディエゴ・ベラスケスは、〈パブリリョス・デ・バリャドリーの肖像〉（一六三五）を描いた。背景には人物の影があるだけで、そこは部屋でもなく、写真スタジオのホリゾントのように表現されている。

エドゥアール・マネは、スペインに旅行して、このベラスケスの絵と出会い、オマージュを捧げている（〈笛を吹く少年〉一八六六）。

カラヴァッジョが背景を黒く塗りつぶして以来、背景のディテールを描かないことは行われてきた。ベラスケスも一七世紀前半ごろからシンプルな背景を好んだが、ここまで人体を切り抜いてしまったかのような表現はこの作品がはじめてだった。ただし、フラット・カラー（ベタ塗り）ではない。ニュアンス（調子・影）のある背景である。

ベラスケスは、俵屋宗達や尾形光琳のように意識的に背景を切り捨てているわけではないので、ベラスケス後、対象（肖像）を際立たせる方法として定着しなかった。

一九世紀になっても、マネが描いた前述の

オマージュ作品が、「安手の民衆版画のように稚拙で陳腐な表現と酷評されて」いた（西岡文彦『名画の暗号』）くらいである。

観察図のはじまり

一六世紀前半、アルブレヒト・デューラーはサイの絵を描いた。

サイは、一五一五年、ポルトガルに、アフリカからはじめて連れてこられた。デューラーは、サイを直接見たわけではなかったが、伝聞に惹かれ、精密な絵を描いた。といっても伝聞がもとになっているので、実物とはかなり違った鎧（よろい）を着ているようなサイとなった。

ところが、この絵の臨場感が評判となり、各地で模写され、ヨーロッパ中に出回った。そして、人びとが抱くサイのイメージは、とうとうデューラーの描いたサイのようなものになってしまった。

ただし、硬そうな皮膚を持つ、というサイのイメージはしっかりと伝わっている。デューラーはイメージを絵にしたのだった（福岡伸一『芸術と科学のあいだ』）。

デューラーの絵のポイントは、背景を省略していること。それによってサイの特

右ページ右）ベラスケス〈パブリリョス・デ・バリャドリーの肖像〉1635。
右ページ左）マネ〈笛を吹く少年〉1866。
右）デューラー画「サイ」、1515。

徴の説得力が増したのだった。

一八〜一九世紀にブームとなった博物画も背景を白地にして省略するか、できるだけシンプルな背景にしている。したがって、博物画のはじまりは一六世紀のデューラーまで溯ることができる。

コロンブスやヴァスコ・ダ・ガマらの探検がヨーロッパ人にまだ見ぬ驚異への希求をもたらした。その先頭に立ったスペインやポルトガルは、国家の庇護のもと探検航海をはじめた。そして、世界各地から略奪しためずらしいものがヨーロッパに届けられた。そのなかには、砂糖やコショウばかりではなく、動植物も含まれていた。デューラーのサイもそのひとつである。これらは、植民地化の付属物としてあった。

一方で、天文学者などを含めた科学者たち、ガリレオ・ガリレイやヨハネス・ケプラーなどが輩出し、一七世紀、「観測・観察」することの重要性が浮上した。近代科学の勃興である。

そして一八世紀、カール・フォン・リンネやジョルジュ＝ルイ・ルクレール・ド・ビュフォンが、自然観察にもとづいた博物誌をつくったことで、博物画がブームとなった。世界各地の動植物収集がここで役に立った。

しかし、この博物画は、デューラーや狩野派などの一連の背景を省略した絵画とは大きく違っていた。博物画は、対象である植物や虫などを子細に観察して描いた写実画であり、一方のデューラーや日本の絵画の多くは、記憶をもとに描いている。つまり、イメージ画だったのだ。

記憶をもとに描くと、特徴は増幅され、写実画よりも多くのイメージを生き生きと伝えられることがある。

背景を省略した絵画のルーツである水墨画こそ、イメージを強調した表現。狩野派は、その水墨画を基点としているので、イメージを強調することが絵画のコンセプトになるの

ビュフォンが、縞が美しいとしたシマウマの一葉、『一般と個別の博物誌』1749-1767。

は当然である。

クロースアップの効用

浮世絵の平面性と、近景のアップ、背景の省略の仕方が、一九世紀末にフランスの画家たちに影響を与えたことは、本書の随所で触れている。

ヨーロッパの遠近法では、近景から、中景、遠景へと順に描く。中景の省略もない。ましてやクロースアップもない。だから日本の浮世絵の表現に衝撃を受けたのだった。なかでも浮世絵が得意とした「クロースアップ」と余白の関係について、まず狩野永徳の絵からみてみよう。

狩野永徳の〈檜図屏風〉（一五九〇）は、

狩野永徳〈檜図屏風〉1590。

近景の檜の上下を大胆にカットすることで、前述の歌川広重を彷彿させる迫力ある筆致となった。

このクローズアップの効用は、近景のイメージが画面いっぱいに広がるところにある。そこに何も描かれていないところがどれだけあろうと、檜の延長線上にあると感じられる。まさに、土佐光起の「白紙も模様の内なれば、心にてふさぐべし」である。そこは単なる何もない空間ではない。

長澤蘆雪（ながさわろせつ）の六曲一双（六枚のじゃばらの屏風が左右で対になっていること）の金屏風〈白象黒牛図屏風〉（一八世紀末）では、右隻（右側のじゃばら）に巨大な白象、左隻に黒牛が描かれている。巨大さが比較できるように、白象にはカラス、黒牛には白い子犬も描かれている（次ページ）。

背景はうっすら雲のようなただよっている気配が描かれているが、ほとんど気にならない。背景が無いように感じる。

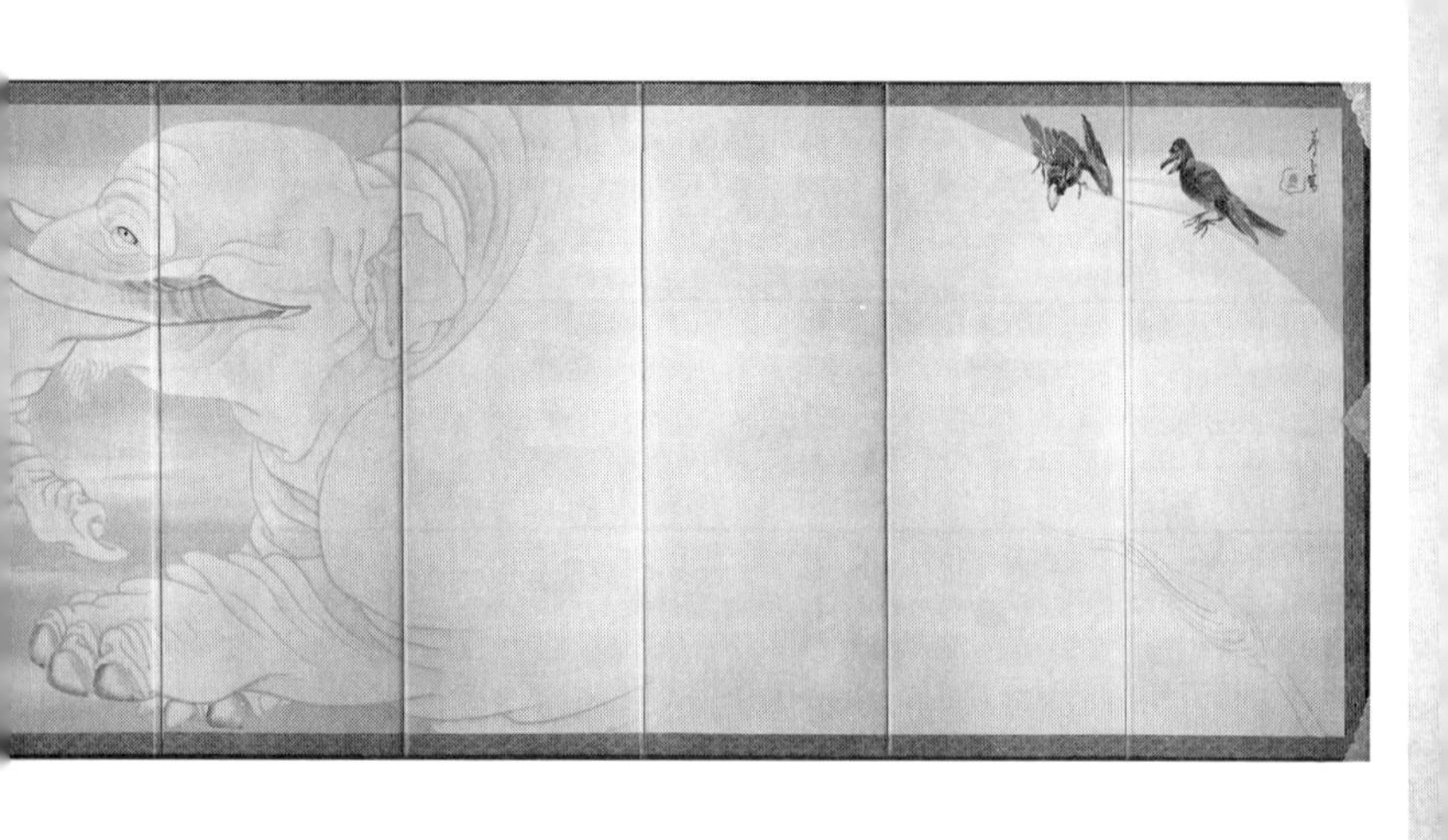

右隻の、右から三枚目は、ほとんど何も描かれていない。下のほうに四枚目から続く線が少し残っているくらい。これも何も描かれていないのではなく、白象の腹がある。

同じ長澤蘆雪の〈虎図襖〉(一七八六)では、六枚のうちの四枚の襖に虎が描かれている。右下の草むら以外の背景は白いまま。

虎が描かれた四枚のうちの左端の一枚には、なんと虎のヒゲの先端部分しか描かれていない。しかし、ここでもその白い背景には何も描かれていないのではなく、虎がクローズアップされていることで、虎の気配が充満しているのだった。

このクローズアップによる充満の感じ方は、鴨長明(かものちょうめい)が『方丈記』で四畳半のスペースが最

見開きページ上)長澤蘆雪〈白象黒牛図屛風〉18世紀。
左ページ)長澤蘆雪〈虎図襖〉1786。

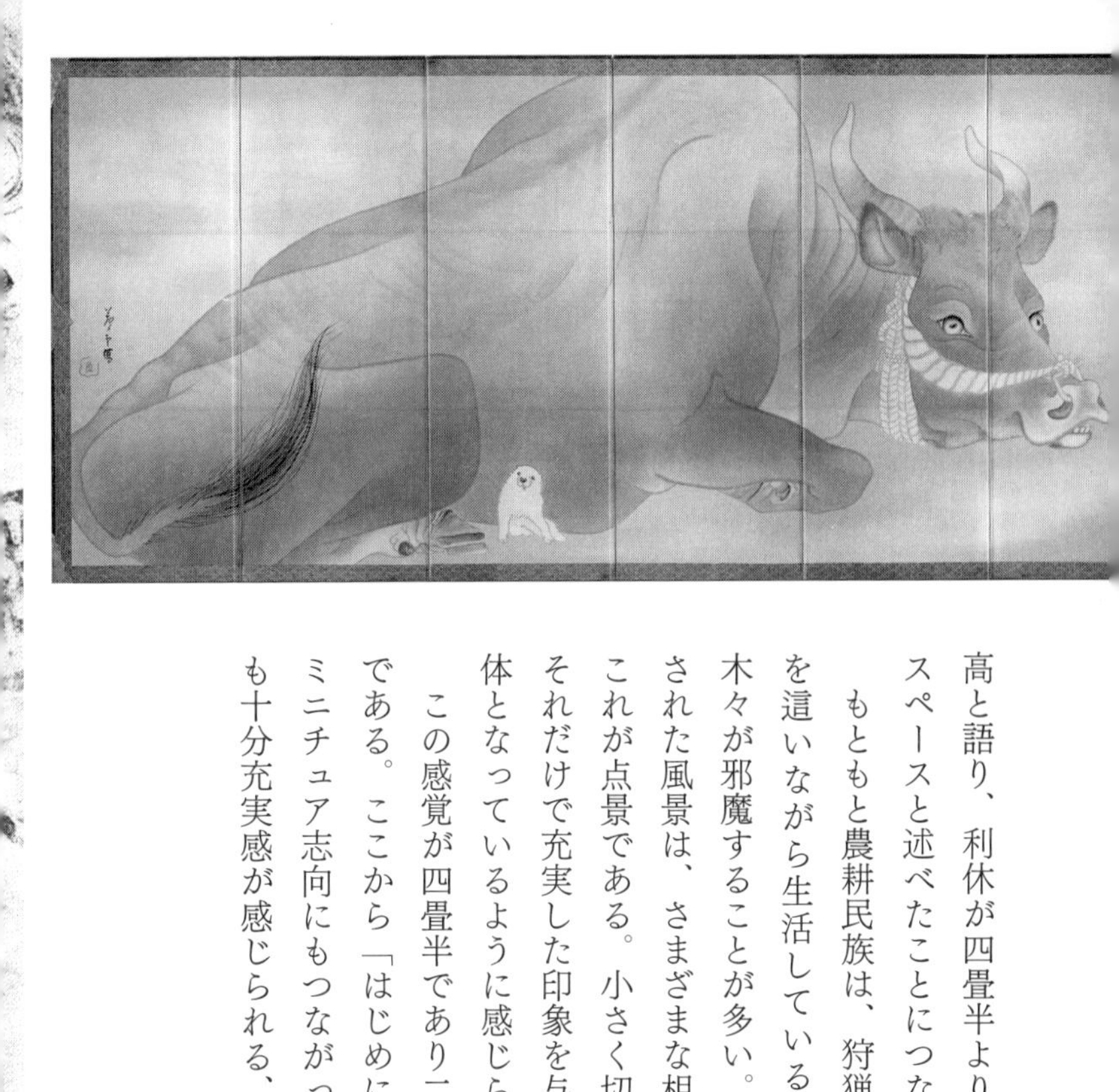

高と語り、利休が四畳半より狭い二畳を美学的スペースと述べたことにつながってくる。
　もともと農耕民族は、狩猟民族と違って、地を這いながら生活している。遠望しようにも木々が邪魔することが多い。木々でトリミングされた風景は、さまざまな相を見せてくれる。これが点景である。小さく切り取られた風景は、それだけで充実した印象を与える。すべてが一体となっているように感じられる。
　この感覚が四畳半であり二畳における充実感である。ここから「はじめに」で触れた日本のミニチュア志向にもつながってくる。小さくても十分充実感が感じられる、である。

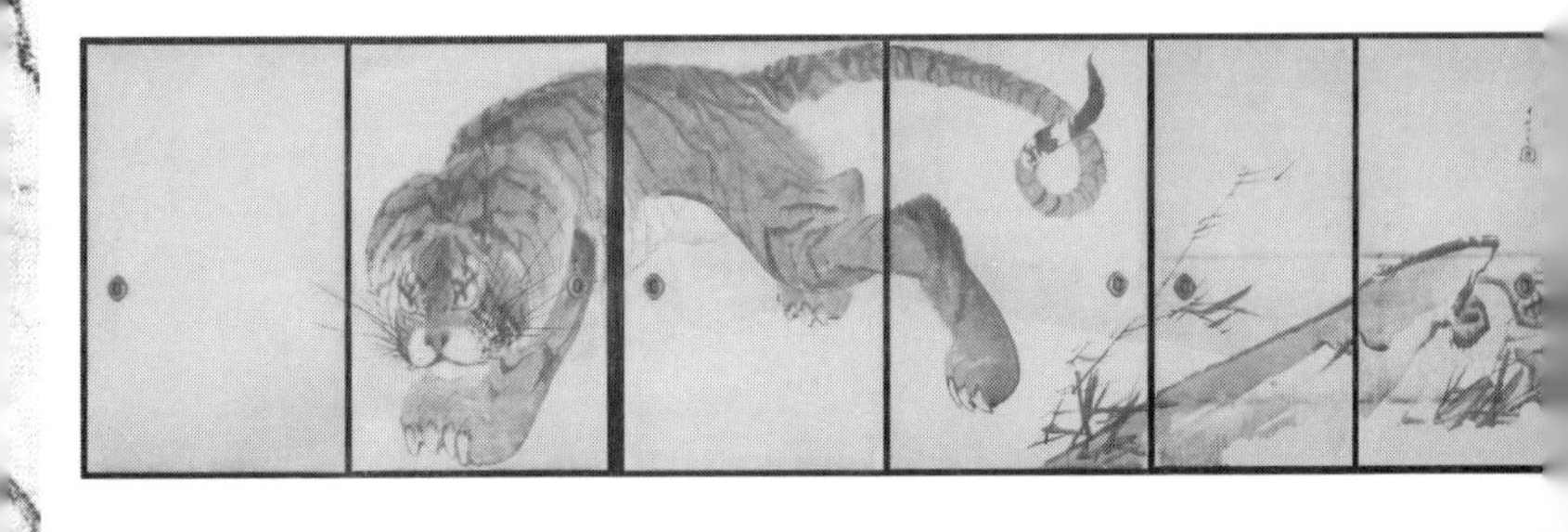

何かが潜む余白

この充実した余白という感じ方は、江戸の美学に昇華する。

いったいに江戸美学では、モノわかりの早いことは、「徳」の一つであって、ツウといえばカアというのが「いき」で、うでうでくでくで、一から十まで説明する、あるいは説明されないと嚥み込めないようなのは「やぼ」とされてきた。（安田武『型の日本文化』）

いわなくてもわかるだろ、余白には何かが潜んでいる、というわけだ。
もちろんここにも負の側面はある。近年多いのが、官僚による政治家への忖度（そんたく）による不正。忖度だから、その科（とが）は政治家には及ばない。忖度が不正の温床になっている。

まあ、忖度の話は措（お）いて、俳人の長谷川櫂さんは『和の思想』のなかで、「いき（粋）」の内容をあっさり解説してくれた。

長谷川さんは、「夏をむねとすべし」こそ、日本文化の発想の原点だという。夏の蒸し暑さを嫌ったところからの発想である。ひらがな、カタカナも漢字を簡略化することで「暑苦しさ」を取り払ったのだ。

哲学者の九鬼周造（くきしゅうぞう）は、「いき」とは、媚態、意気地（いくじ）、諦めの三つで成り立っている、とした。媚態は「色っぽさ」、意気地は「張のある」、諦めは「垢抜（あかぬけ）して」である。

それを「夏の蒸し暑さ」の文脈でいうと、「いき」とは、「すっきりと涼しげであることであり、その反対の野暮とはべたべたして暑苦しいこと」（長谷川、前掲書）となる。見事である。

そして、「暑苦しい」ことは、「多い」ことにもつながってくる。「多いことは逆に余白、つまり、間がない」（長谷川、前掲書）。

吉田兼好は『徒然草』で、多いことは見苦しいといっていたが、ふたつだけよいものがあるともいった。ひとつは本棚の本。多いにこしたことはないと。そして、ゴミ捨て場のゴミ。ゴミ捨て場にゴミが多いということは、身の回りがすっきりしているからだ、と（長谷川、前掲書）。「いき」の精神は江戸時代に「いき」ということばができる前からあったのだった。

妖怪

また横道に逸れてしまったが、余白に何かが潜んでいるのは、日本の妖怪のあり方にもつながってくる。

物理学者の寺田寅彦さんは、人間が発明したもののなかで「化物」こそ最も優れた傑作だ、と述べている。

化物にはその民族の宗教と科学と芸術とが綜合されているからである。（『怪異考／化物の進化』）

平安時代以来、よいことをするのは神であり、その他の災厄・不可解な現象はすべて化物・妖怪の仕業にされた。寺田寅彦さんのいい方を借りれば、化物・妖怪の存在は「作業仮説」（寺田、前掲書）となる。

化物・妖怪といっても、何度も述べたように、場合によっては神にもなりうる

左ページ）鳥山石燕が描いた妖怪「骨傘」と「天井下」1776。

両義的な存在である。だから愛されもした。西洋の、神と対峙する悪魔は嫌われるだけだし、神にもなれない。

　妖怪たちは、闇という闇には必ずいた。さまざまなもの、たとえば動植物、器物はもちろん、稲光などの自然現象にも形をなして潜んでいた。そして、必ず名前がつけられた。存在証明みたいなものだ。

　この闇の反転したものが余白である。余白は充実感としてそこに存在している。

行間を読む

「行間を読む」とよくいわれる。グラフィック・デザイナーの杉浦康平さんは、それに物理的な根拠を与えた。書籍のサイズを本文の大きさから割りだしたのだ。つまり、書籍のタテヨコサイズをその本文の大きさの何倍、ということで決めた。

　通常の単行本の四六判のサイズは、出版社によってばらつき

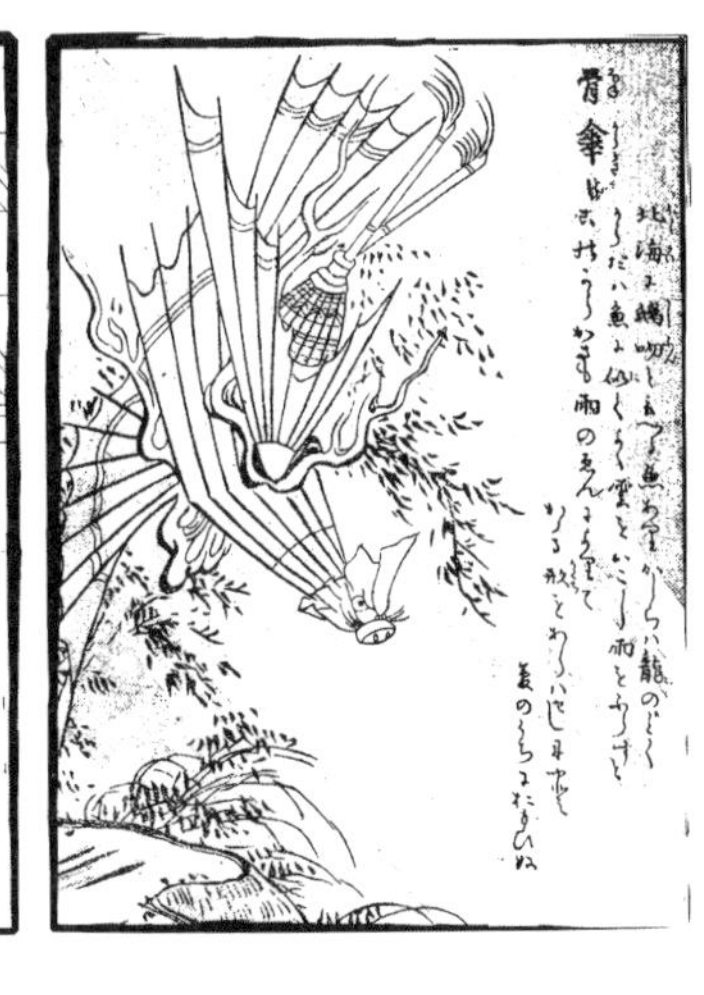

がある。おおむね、タテ一八七～一九〇ミリ、ヨコ一二七～一三二ミリ（一三二ミリの場合は特注の紙を使っている場合で、普通はヨコの上限が一三〇ミリ）の範囲でサイズを決める。

たとえば、本文一三級の場合、タテ一三級×五八字、ヨコ一三級×四〇字がこの範囲に収まる。その寸法をそのまま判型にすると、サイズはタテ一八八・五ミリ、ヨコ一三〇ミリになる。一三級の「見えない」文字がびっしり埋まっている紙面に一三級の本文が載る、というイメージだ。

まさに、行間にも欄外の余白にも見えない文字がびっしりあることになる。行間を物理的に解釈したアプローチといえる。日本語が四角い枡に一文字ずつ記されることで可能となった解釈で、欧米語のように、一文字の幅が決まっていない言語では成立しない。

余白とクローズアップの西洋的展開

日本的余白のヨーロッパへの影響は、一九世紀末にあらわれた。

まず、一九世紀半ばのフランスで、ジュール・シェレが、女性のイラストをポスターに大胆に扱い、ポスター・デザインに新風を巻き起こした。そしてポスター文化が定着。シェレは、一八八〇年代末あたりから浮世絵の影響のもと、色をしぼって効果的に使うことをはじめ、ジャポニスム・ブームも極まる。

一八九〇年代はじめ、アンリ・トゥールーズ＝ロートレックやピエール・ボナールは、ポスターに色面を導入しはじめた。ポスターに描かれた人物の、服装のシワなどのディテールは描かず、一色で塗りつぶしたのだった。浮世絵の平面性の影響である。同時に人物の顔のクロースアップなども行い、より迫力のある画面をつくった。

シェレ〈カカオ・ララ〉1890。

このあとすぐに、平面性と色ベタ、そしてクロースアップは、アール・ヌーヴォーに受け継がれ、二〇世紀にはじまる抽象表現の基本的表現手法となった。

こうした表現は、広告デザインの世界にも波及し、ほどなく当たり前の手法となった。クロースアップで得られた余白には、クロースアップされたものの余韻が立ちこめる。余白はいわばイマジナリー・スペースとなった。

上右）ロートレック〈メイ・ベルフォール〉1895。
上左）ボナール〈フランス＝シャンパーニュ〉1891。
右）車のクロースアップが余白とも相まって、迫力をもたらしている。ヨゼフ・ミューラー・ブロックマンの交通安全ポスター「子どもを守れ」1953。

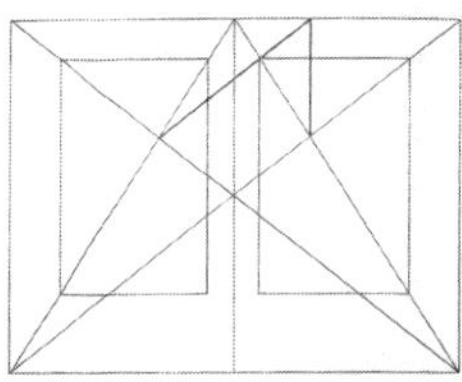

Figur 7. Neunteilung nach van de Graaf, vorgeführt auf der Blattproportion 2:3. Der einfachste Weg zum Kanon der Figur 5. Geometrie statt Millimeterrechnung.

Kanon bewirkt harmonikale Teilungen und kann in jedem beliebigen Rechteck errichtet werden. Mit ihm kann man ohne jeden Maßstab eine Strecke genau in beliebig viele gleiche Teile teilen. In Figur 9 ist er noch einmal für sich allein dargestellt.

Raúl Rosarivos Untersuchungen haben die Gültigkeit des von mir ermittelten spätmittelalterlichen Schreiberkanons (Figur 5) für die ersten Drucker nachgewiesen und damit seine Richtigkeit und Bedeutung erhärtet. Dennoch dürfen wir nicht glauben, daß die diesem Schreiberkanon zugehörige Formatproportion 2:3 allen Bedürfnissen entspräche. Das späte Mittelalter forderte von einem Buche weder besondere Handlichkeit noch gar Eleganz. Erst in

14

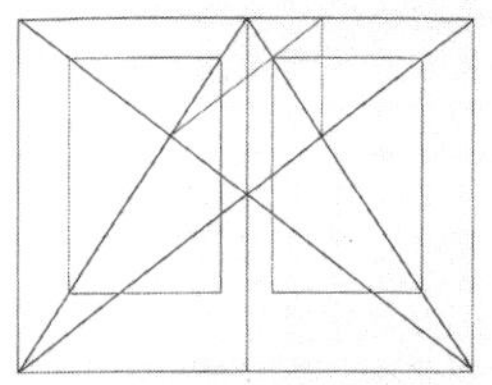

Figur 8. Die Villardsche Figur. In unserem Diagramm der Seitenkonstruktion steckt auch eine Abwandlung der Villardschen Figur. So wird der harmonikale Teilungskanon des Villard de Honnecourt genannt. Villard war ein piccardischer Architekt der ersten Hälfte des dreizehnten Jahrhunderts. Sein Bauhüttenbuch, eine Handschrift, wird in der Pariser Nationalbibliothek aufbewahrt. Mit Hilfe dieses Kanons, den die verstärkten Linien zeigen, kann ohne jeden Maßstab *eine Strecke in beliebig viele gleiche Teile geteilt werden.*

der Zeit der Renaissance begann man, zierliche und leichte, handgerechte Bücher zu machen. Nach und nach kamen kleinformatige Bücher in den noch heute üblichen Proportionen 5:8, 21:34, $1:\sqrt{3}$ und das Quartformat 3:4 auf. So schön die Proportion 2:3 auch ist, kann sie durchaus nicht für alle Bücher dienen. Gebrauchszweck und Charakter eines Buches fordern oft eine andere gute Proportion.

15

チヒョルト『紙面と版面の明晰なプロポーション』（1962）より、ページと見開きページの各対角線を駆使する版面の決め方。

ちなみに、タイポグラファーでデザイナーのヤン・チヒョルトは、一九五〇年代に、比率で余白を決めることを考えた。背景には、「誰でもできる」をめざすインターナショナル・デザインの流れがあった。つまり、「比率」さえあわせれば、誰でも同じようなレイアウトができる。

そのため、『本のプロポーション』（一九五五）、や『紙面と版面の明晰なプロポーション』（一九六二）で、ページの対角線と見開きページの対角線を駆使した版面設計法を発表した。

これを利用すれば、ウィリアム・モリスが理想としたフォーマットができる。見開きが一体化することをめざしているため、ノド側は狭い。

ただし、ノド側が狭くても、横組みの欧文では、文頭のアルファベットが多少見えなくても文意をつかむのにそれほど困らない。日本語の縦組みではノド側の行がまるまる見えなくなる確率が高くなり、フォーマットとしてはあまりよくない。

チヒョルトの時代、余白がもたらす「白」には特別な意味があった。バウハウスは、「白」をモダニズムの代表的なカラーとして建築などに積極的に使った。装飾の一切ない白い壁面である。これによって「白」は何もない空間ではなく、ものをいう空間となったのだ。

こうした余白観が生まれた大きな要因として、ドイツ工業規格が定めた紙のサイズの規格化が挙げられる。それはA4を中心とした、常に相似形をもたらす $1:\sqrt{2}$ の比率を持つA判の採用である。均等な比率で区切られたスペース、というイメージがすでに余白そのものとなっていたのだった。

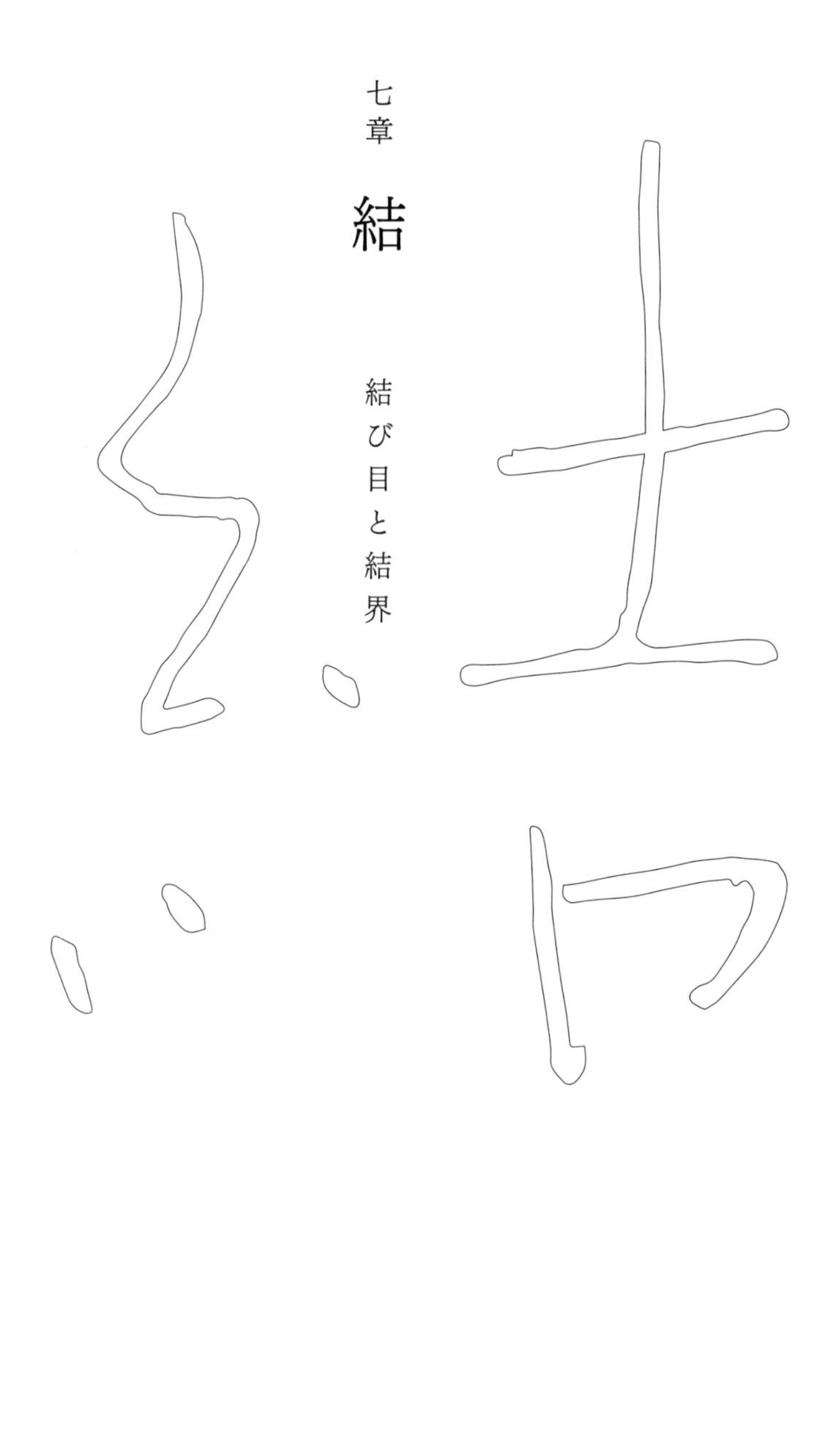

七章

結

結び目と結界

フトンタタキ

以前、フトンを干すときにほこりを叩きだすための、いわゆる「フトンタタキ」の形状に興味を持ったことがある。しかし、フトンタタキを使ってフトンを干している場面は、今ではあまり見かけない。「フトンタタキ」という道具を知っている層ももはや少なくなってしまったかもしれない。

といっても、世の中から消えてしまったわけではない。藤蔓と竹ヒゴが基本的材料だったが、今はプラスティック製もあるようだ。ここでは、藤蔓と竹ヒゴ製にこだわって、勝手な妄想を開陳したいと思う。

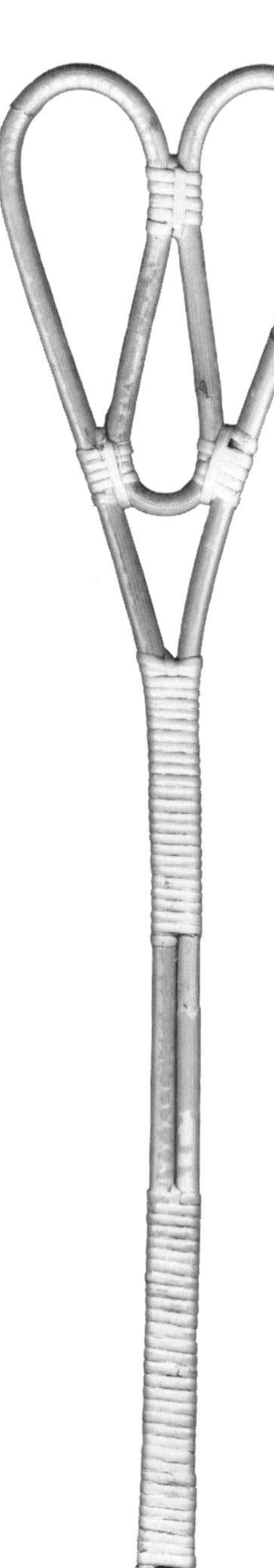

フトンタタキ。今はプラスティック製もあるが、それらは邪道。やはり藤蔓と竹ヒゴ製だろう。

フトンタタキで「ほこりを払う」の「払う」という行為は、もともと「お祓い」につながっている。「掃く」「はたく」も「払う」と同様神主による神事での用語。だから「お祓い」は、霊魂（たま）との関係抜きには語れない。これを伏線として、まずフトンタタキの形状からはじめてみよう。

ハート形

フトンタタキの叩く部分は、藤の蔓を竹ヒゴでしばってつくる。蔓という植物にはもともとヘビのイメージがある。加えて、キングコブラが鎌首を持ち上げてせまってくる姿にも、逆さにすれば屹立したファルスのようにも見える。古代信仰で屹立したファルスとくれば、精液＝出産＝豊饒とイメージが連鎖する。

藤蔓の部分だけ取りだせば、いわゆるハート形をしている。ハート形は西洋からきたもので、同じ形を日本では「ゐのめ」（「猪の目」）と呼ぶ（猪はもともと「ゐのしし」と書き、「ゐ」一文字でも猪を意味した）。

ハートの形は、見た目どおり心臓の形からきている。漢字の「心」も見事に心臓の模写といってよいだろう。中世ヨーロッパでは心臓と「心」を同一視していた。それがハート形に発展し、今に至る。

このヨーロッパ経由のハート形は、明治になって、トランプのなかのハートとして日本人がはじめて接することとなった。そこで日本人は、西洋では、心臓が「心」をあらわしていることを知った。

それまでの日本人は、「腹が立つ」「腹を決める」の「腹」、「胸騒ぎ」「胸を衝く」の「胸」、「肝を冷やす」「肝に銘じる」の「肝」、「臍を噬む」の臍、「腸が煮えくりかえる」の腸というように、具体的な臓器を使わずに心模様をあらわしてきた。だから「心」をあらわす決まった形はなかった。

しかも、羽が生えたハートにも驚いた。羽が生えた烏天狗という存在も一時期いたが、基本的に日本では、空を飛ぶのに羽を必要としなかった。羽衣一枚あればいい、ぐらいの感じである。こんなところにも東西の考え方の違いを見ることができる。

広い砂漠や草原などのつかまるところが何もないところでは、鳥のように羽を

上）羽の生えたハート。
下）烏天狗像（鎌倉市の建長寺半僧坊）。

バタバタやらないと落ちてしまう。西洋で空を飛ぶということは物理的に飛ぶことを意味していた。だから羽を必要としたのだった。

ところが東洋では、空を飛ぶというよりも、こちらからあちらへとジャンプする、という感覚である。ここには、すでに本書の随所で述べているように、広範囲にわたる風景を切り貼りして雲などで各々の距離を省略する点景観が作用している。こちらの風景からあちらの風景へ、木から木へ、山から山へと、点景とはジャンプによる表現だったのだ。だから羽はいらない。ジャンプは、西洋的な鳥瞰的見方ではなく、地を這う虫瞰的見方の延長線上にあった。

ゐのめ形

前述したように、ハート形を逆さにした桃のような形を日本では「ゐのめ」と呼んだ。「ゐのめ」は、オリエントで花弁や葉をあらわした形が、回り回って、逆ハート形として日本に伝来した。このとき花弁や葉のイメージは消えていた。

舶来好きの日本人は、この形を気に入り、大事な道具につけた。平安時代の「ゐのめ」は、「威儀の物」として、祭祀や儀式で使う祭具や神具にこの形をくり

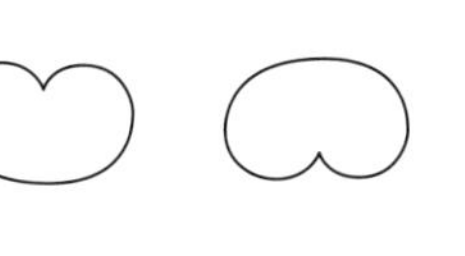

「ゐのめ」のいろいろな形。

抜いて飾った。くり抜いたことで、そこが「目」に見えるところから「威の目」となった。

武家が天下をとった鎌倉時代は「猪の目」ともよばれ、刀の鐔や鎧などの武具につけられた。イノシシの目に似ているところからこの名がついたのだが、戦場で、イノシシの猪突猛進にあやかるためのお守り的意味合いもあった。

そして、江戸時代になると、馬具、仏具にもつけられた。江戸中期となると一般庶民の家具の留め具にも使われるようになった。といってもなんでもかんでもつけたわけではない。大事な物に限ってつけた。

ただし、着物の柄や襖などには描かれず、形あるもののみに施された。そこからも「威儀の物」の「物＝道具」と考えられていたことがみてとれる。しかもすべて穴の空いた浮き彫り仕様である。この「穴」のあり方については後述する。

蛇行する蔓

ハート形、ゐのめ形を象っている藤蔓には、前述したように、蛇行するヘビのイメージがある。ヘビには、豊饒や、脱皮することなどから、再生のイメージも

ある。西洋ではめずらしく、ヘビは嫌悪の対象でありながら崇拝された。やはり再生のイメージがあったからだ。

不祥事で失脚した政治家が、少しおとなしくして再び選挙に立候補するとき、ミソギは終わった、としばしば語る。このときのミソギは「禊ぎ」で、神道で罪や穢れを祓うときの沐浴からきている。もともとは、ヘビが脱皮して再生するところからきた「身殺ぎ」を由来とする説もある。

また、縄にもヘビのイメージがある。縄文時代の土器の縄のような文様もヘビ・イメージと思われる。再生祈願である。

ちなみに「縄文」は、明治初期に明治政府に招聘されて来日した動物学者のエドワード・モースが、語ったことばからきている。モースは、大田区・品川区あたりで大森貝塚を発見した。そこで発見した土器を、縄目があったところから「cord marked pottery」と呼んだ。「縄が印された土器」である。

モースが、このとき素直に縄目とみてくれたのは幸運だった。もし、蛇の文様とみたら縄文時代が「蛇文時代」となってしまう。蛇から再生

右ページ右）「ゐのめ」のある刀の鐔。
右ページ左）日光東照宮や江戸城の儀式に使われた用具。
左）縄文が文様化されている船元式土器、縄文中期。

のイメージを素直に受け取れない現代からみたら怪しい呼び名である。

また、土器に蛇のような縄目を印したのを再生祈願と述べたが、それは土器自体が命を育む大切なものだったからだ。

それまで食事は、動物や魚の肉もそうだが、生で食べるか、発酵させてから食べるしか方法がなかった。そこに土器が登場した（縄文土器の登場は一万二〇〇〇年前）。土器は煮炊きもできるし、水も運べる。だから、水際で生活しなくてもよい。煮炊きは、食事をはじめる時間も調節できる。ここから時間観念も発生した。

そして、煮炊きできることで保存できる食料の種類も増えた。定住生活への志向が定まったといえる。土器が、彼らの食生活を大きく支えたのだった。だから命を育む土器には、再生のお守りが必要だったのである。

ちなみに、土器をつくるとき、粘土に植物の種実が混ぜられていたらしいことがわかった（焼くとその跡だけが残る）。なぜかははっきりしていないが、土器を焼いたときに縮むのを防ぐための混和材とか、再生・豊穣祈願した、などの説がある。縄文の例もあるので、再生・豊穣祈願説に一票入れたい。

西洋の再生イメージ

西洋での縄は日本のようにヘビの見立てなどではない。エジプトでもピラミッド建設のときは縄の定規を使った。インカ帝国では数を数えるのに縄を結んでできた結び目を使った。「一」は一回結び、「二」は二回結びという具合。縄に定間隔で結び目をつけ、重しをつけて船から海に投げ入れ、一定時間内に結び目がいくつ船から遠ざかったかで速度を計ったところから速度の単位ノット（knot＝結

北部イングランドのリンディスファーン修道院でつくられた『リンディスファーンの福音書』（部分）、8世紀ごろ。組紐文様が全面を覆っている。

び目）が生まれた。というように、縄は主に「測る・計る」ためのの道具だった。ただし、紐を組み合わせることでパワーを生みだせる、とした文化は、ケルトにもあった。

ケルト三大写本の一書、『リンディスファーンの福音書』（八世紀ごろ）の紙面いっぱいに広がる組紐文様は、絶大なパワーを持つ神への憧れをあらわしていた（前ページ）。

そして、ヘビはそのままヘビの形のまま再生のイメージとして使われた。

杖に絡みつく二匹のヘビのことを西洋ではカドゥケウスと呼ぶ。商業のシンボルとされている。

ギリシャ神話の神ヘルメスが、争っている二匹のヘビに杖を投げたところ、仲良く杖に巻き付いた、という伝説がある。ヘルメスは商業神なので、「仲良くなる」というところから、商業が順調にいく、つねに再生する、というイメージにつながったようだ。

また、古代ローマの戦場で、非戦闘員である医者が、このカドゥケウスを持って戦傷者の間を回っていたといういい伝えから、アメリカ陸海軍の医療関係機関は、このカドゥケウスをシンボルとしている。

杖に二匹のヘビではなく、一匹が巻きついたイメージもある。ギリシャ神話の医の神、アスクレピオスが持っていたとされる杖だ。世界保健機関（WHO）のマークにも使われ、アメリカをはじめとする世界の多くの国の救急マークとしても使われている。救急には、ヘビの「再生」のイメージが必要だからだ。

結ぶことでできた環

湾曲する藤蔓でできた曲線は結び目にもみえる。家紋にも結び目を使ったマークが多い。やはり豊饒・再生のイメージが仮託されているのだろう。結び目によってできた環にも意味がある。紐で区切られた空間は単なる空白ではない。そこは、神も含めたいろいろな意味で「訪れ」を待つ空間なのだ。

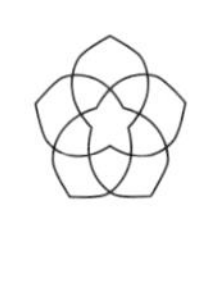

右ページ右）カドゥケウス。
右ページ左上）スター・オブ・ライフ（世界的に使われている救急・救命シンボル・マーク）。
右ページ左下）1948年に設立された世界保健機関（WHO）の旗。
左）結びイメージを持つ家紋。

夏の風物詩である風鈴は、中国の殷・周の時代からあった。もともとサナギのイメージで家の前や木に吊された。なかには何も入っていない。そこに神が訪れたときだけ音が鳴る。いわば神の声の存在を増幅する装置だった。たしか、音楽もかつては神の声を聴くところからはじまったはずだ。

したがって、このサナギ状のもののなかは、神によって充(み)たされるべき空間だった。しかし、神の訪れに気づく能力は、いつしか減退する。風鈴に鈴やベロがいれられるようになったのは、そのときから。

「サナギ」とは、「サ」が「何もない」、「ナ」は「名」として形あるもの、そして、「ナギ（凪）」となって、じっと静かに待つこと。

漢字の「言」の口の部分は、（白川静(しらかわしずか) 漢字学によれば）願い事を入れる器であり、神からの返答がくるのを待っている器でもある。口の上の部分は、命令が実行されなかったときに罰するための針の形だ。「害」という漢字は、その器が針でさされて壊れたところからきている。罰が実行されたのだ。

ここから、結んでできた環は、何かで充たされるための器の見立てとなる。「結び」は、「身為(ムス)・産巣(むす)・産(む)す」と「霊(ヒ)」に端を発している。だから、この環という空間には、モノを生みだす力があるとされた。

その名残りは、今でもある。「息子（むすこ）」「息女（むすめ）（娘）」だ。これは、「産（む）す・生（む）す・蒸（む）す」に男（ひこ）と女（ひめ）がついた、「むすびひこ」「むすびひめ」の略。命が生まれるから「息」の字をあてている。いつの時代も親は、子どもの成長を願う。

空（ウツ）と神

「余白」のところで、余白の考え方は、何もないところに何かを認めることであると述べた。この結び目によってできた空間も何かで充たされる空間である。これを「ウツ」という。漢字で書けば「空・虚・全」となる。ここには、何もない「空・虚」のはずなのに「全」、すべてがあるという両義性が認められる。

最近は、接客などですばらしい態度を示した店員さんのことを「神対応」ということばで称賛することが広まっている。

英語圏で「神」がでてくるときには、一面的かもしれないが、「オー・マイ・ゴッド」（かんべんしてよ、まさか！）というように、否定的に使うことが多そうだ。西洋のように唯一神だと神の存在はかなり大きいが、日本での神は遍在しているせいか、身近。ちょっとしたことでも神になぞらえて感謝する。

日本には「八百万（やおよろず）の神」というように、いたるところに神がいた。常に自然に感謝して生活してきたからだ。だからこの「神対応」ということばは、感謝のあらわしかたの現代版。ただし自然にたいしてではなく、人にたいする感謝だが。

このような自然観、神にたいする考え方は、至るところに神の訪れを待つ空間があるからこそ成立する。そのひとつが、結んでできた環のなかである。からっぽなのに「空（ウツ）」であり、「全（ウツ）」なのだ。これは「余白」が、何もないのに周囲の環境を映している、写している、移しているという発想とつながっている。

何もない中心

心理学者の河合隼雄（かわいはやお）さんは語る。

わが国が常に外来文化を取り入れ、時にはそれを中心においたかのごとく思わせながら、時がうつるにつれそれは日本化され、中央から離れてゆく。しかもそれは消え去るのではなく、他の多くのものと適切にバランスを取りながら、中心の空性を浮かびあがらせるために存在している。（『中空構造日本の深層』）

中心はないわけではない。そこに何かを取り入れ、そこが充たされ吸収されると、関心が薄れ、また別の中心に移る。これは八百万の神の遍在性、点景観とリンクしている。あらゆるところに、中心があるのだ。

逆に、中心に圧倒的な権力者、たとえば一神教の神のような存在が入り込んでも困る。天皇は心の支えかもしれないが、権力を振るわれても困る。

天皇が絶大な権力を振るっていたのは一〇〇〇年くらいも前のこと。それからは、天皇に権威があったとしても権力はなかった。明治になって、天皇制が推し進められても、天皇の名のもとに政策が実行されはしたが、天皇に実権はなかった。ないのは実権ばかりではない。天皇は、憲法で保障されている基本的人権も与えられていない。自由に買い物にでかけたり、家族と外で気軽に食事もできない。哀しいかな、権威のために身を捧げているといわざるをえない。

日本の中心には、日本国民としての当然の権利を持たないが、日本国民の平穏のみを希求して祈り続けている天皇がいる。つまり、中心には権力の実体はない。しかし、その天皇の権威を利用して戦争に突き進んだ歴史がある。中心が空であることはそのような危うさも併せ持っている。中心に実体がないので、責任の所在はあいまいになる。これを昔、丸山眞男（まるやままさお）さんは「無責任の体系」（『現代政治の思想と行動』）といった。

結ぶことと結界

紐を結ぶことについて、書家の石川九楊（きゅうよう）さんは述べている。

腰紐や帯、ベルトを結ぶことによって、自己の輪郭を定め、自己をここまでと規定するに至ったところに、紐衣＝腰紐の起源は辿れる。その名残りが、日本の神社に残る注連（しめなわ）を回した巨木である。それは樹木に衣類を着せているのだ。腰紐＝注連――それは自己と他者を区切ることであった。（『失われた書を求めて』）

石川さんは衣服のはじまりは一本の紐だという。紐でしばることは自分と他人を隔てる行為でもあり、神社の注連縄も巨木に回した衣服なのだ、と。

また、古代では、体内に悪霊が入ってきたり、魂が抜けてでてしまうのは最大の恐怖のひとつだった。そこでそうならないように結界を張る。それが、首に巻いたネックレスであり、腕に嵌めたブレスレット、くるぶしに巻くアンクレットである。こうした装飾品も紐による規制線、注連縄の延長上にある。

殺人現場には警察による黄色いテープが張られる。これは、非関係者の立ち入りを規制するためのテープである。このように、紐は世界中で規制用の囲みとして使われている。この規制法は人類学的には「結界」という。

結界としての紐（縄）の起源は、日本では『古事記』の「天の岩戸」神話にまで遡ることができる。その神話のあらましは多少脚色しているが次のようになる。

乱暴狼藉を働く弟神スサノオに怒ったアマテラスは、天の岩戸に引きこもった。アマテラスは太陽神なので、世界は闇となった。八百万の神々はアマテラスをなんとか外に連れだそうと、岩戸の前で騒ぎアマテラスの関心を惹こうとした。アマテラスは、騒ぎの原因を知ろうと、岩戸を少し開けた。すかさず踊っていたア

右ページ右）由岐神社の杉に巻かれた注連縄。
右ページ左）注連縄が巻かれたさざれ石、賀茂御祖神社。

メノウズメがアマテラスの前に鏡をだし、アマテラスよりも高貴な神がここにいる、と伝えた。すると、アマテラスの光が鏡に反射してアマテラスの顔を照らした。アマテラスは「あら、面（顔）白し」といった。ここから「面白い」ということばが生まれたといういい伝えがある。その瞬間を逃さず、アメノタヂカラオが、アマテラスの手をとって外に無理矢理連れだした。すかさずフトダマがそこに規制線を張り巡らした。この規制線が「尻久米縄（しりくめなわ）」。そして、これが「注連縄（しめなわ）」となった。

注連縄は、二本の縄が縒（よ）られてつくられている。民俗学者の吉野裕子（ひろこ）さんは、二本の縄が縒られているところを二匹のヘビの交尾になぞらえている。ヘビの生命力や再生力にあやかろうとしていたから、と。注連縄を張り巡らすことで、その囲まれた内部は（イメージのなかで）生命力と再生力に溢れた空間となる。

家紋を円で囲むのも、もともとはこうした規制線である注連縄が抽象化して円になったものだった。円で囲まれることによって家紋内部は生命力・再生力に溢れた空間となった。相撲の土俵や横綱が締める注連縄など、こうした例は多い。

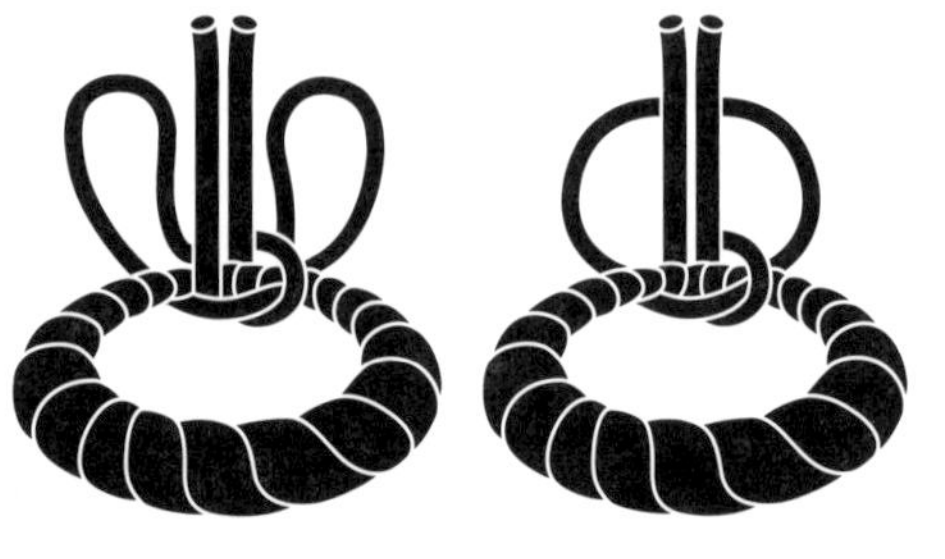

相撲の横綱が土俵入りのときに締める注連縄。右は、一つ輪で陽の雲龍型。左が、二つ輪で陰の不知火（しらぬい）型。この陰陽が土俵上で相まみえることで豊饒をもたらすとされた。

結び目と間

注連縄で囲まれた空間は「間」でもある。繰り返しになるが、間は、生命力・再生力に溢れ、一方で何かが訪れるのを待つ神聖な空間でもある。

ここから、フトンタタキの藤蔓でつくられた結び目の環は、生命力・再生力に満ちた、何かの訪れ、あるいは、何かの侵入を拒否する聖なるメディアだったかもしれない、という仮説が浮かぶ。

フトンタタキとは、寝ているあいだに侵入してきた悪霊を叩いて追いだし、新たな活力をフトンにもたらすための、一種のお祓いの呪具だった、という仮説がここに成り立つように思える。

フトンタタキの歴史

ところで、「掃除」という観念が日本で芽生えたのは、室町時代の書院造りがはじまってからといわれている。

書院造りの前は、平安時代の寝殿造り。寝殿造りは、壁の代わりに屏風や衝立を使って仕切った、いわば一間（1K）の空間である。そして、室町時代の書院造りは、間仕切りの技術が発達したことで部屋を小割りにした空間である。小割りされた部屋には畳が敷かれた。茶道がその小割りの流行を後押しした。

いや、神殿造りと書院造りとの大きな違いはそんなことではない。「余白」のところで触れたとおり、室町時代には外の風景のイメージを取り込むことがさかんに行われた。間仕切りも発達した。屏風などだ。それで何が大きく変わったのか。寝殿造りのときとは違って、部屋が格段に明るくなったのだ。だからほこりも目立つようになった。ここから掃除の必要性が浮上した。

このころの主な掃除道具は箒。江戸時代にははたきが加わる。フトンタタキの登場はおそらく明治以降だろう。ここで今まで述べてきた聖なる呪具の仮説は簡単に潰えてしまった。残念ながら古代信仰の見立ては時代的に通用しそうもない。ちなみに、結界によって生じた「間」は「真」とも読む。したがって、「真似」は「間似」でもあり、「間」に蓄えられた生命力・再生力を手中にすることである。それほど「真似」にはパワーがある。だからぼくたちは「真似」する。しかし、心して真似ることが大事である。

八章　周

マージナルを重視する

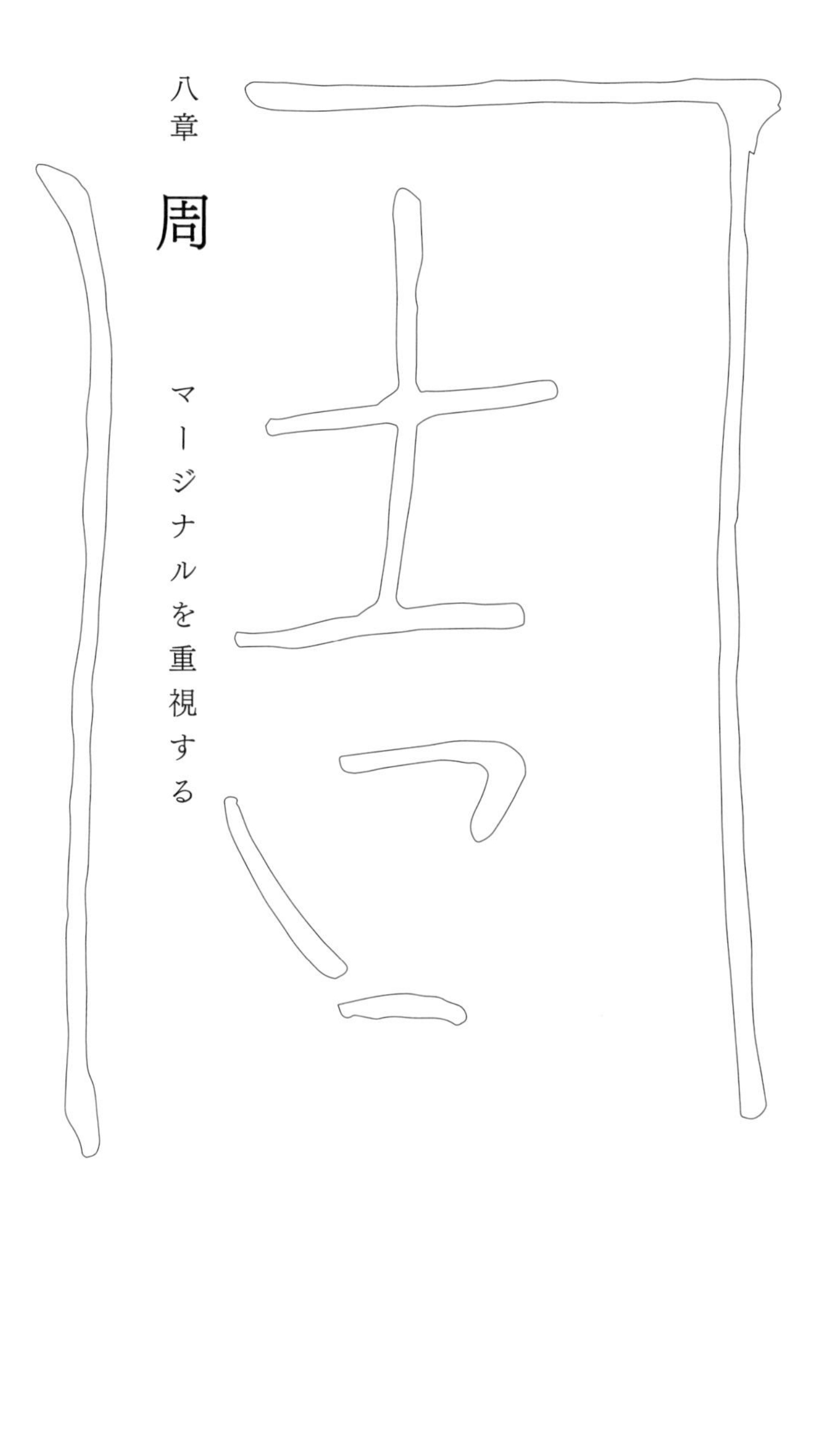

辺境の国日本

「マージナル」とは、「限界の」とか、「余白の」という意味もあるが、多少乱暴だけれども「周辺の・境界の・辺境の」（同様の意味を持つ語として、名詞だが、border、boundary、frontierなどがある）という意味でここでは使う。

日本はヨーロッパから見て極東、つまり辺境にあたる。だから西洋人にとっては謎が多く、マルコ・ポーロは『東方見聞録』（一三世紀末）で莫大な金を所有している国として日本を紹介した。これは、マルコ・ポーロの口述筆記なので、秀吉の黄金の茶室ならぬ、王の宮殿はすべて金でできている、などと愚にもつかない受け狙いの話をしただけ。当時のヨーロッパでは、価値の最高峰に金があったから、金ネタは受けたのだろう。

その極東アジアの中心には中国があった。名前からして中心の国。中国の周りにさまざまな国がある、という図も残っている。世界観をあらわすイメージ図で正方形を使って同心で展開している。

中国には「天円地方」という説がある。「天」は円形で、自分たちが住む「地」

を方形としたもの。「天」は、星が季節によって動いて一定していないし、区切りようがないところから「円」であり、「地」は、人為的に区切ることができる。その一番わかりやすい形が方形だからだ。

ちなみに、中世ヨーロッパにも、同じようなイメージ図がある。こちらは同心円を使った、キリスト教的世界観を形にしたもの。中国の図は、世界の中心に中国がある、としていたが、ヨーロッパは、宇宙の中心に地球がある。もちろん地球の中心はキリスト教世界であり、発想は中国と同じ。地球の周りを太陽が回っ

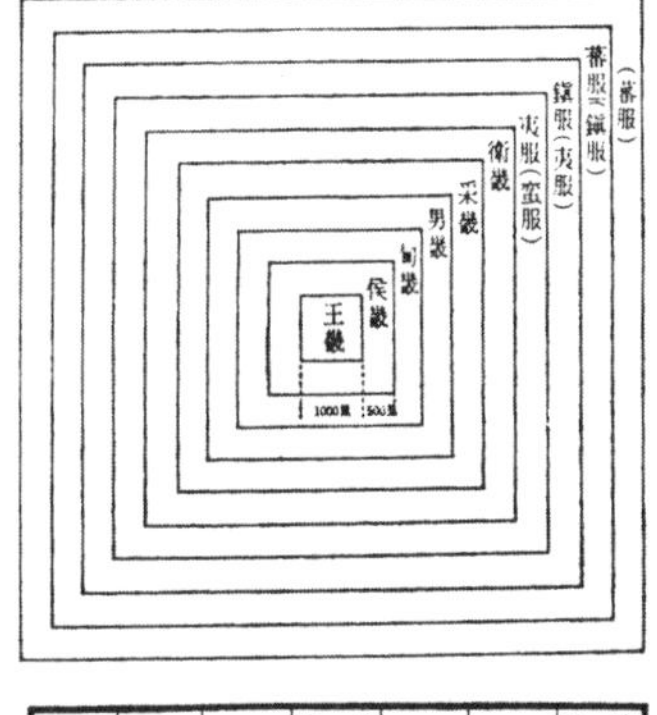

不周山 幽都門			北極山 寒門			方土山 蒼門
	一目 沙所		積冰 委羽		和丘 荒土	
		海澤 大夏	寒澤 大冥	大澤 無通		
西極山 閶闔門	金丘 沃野	泉澤 九區	九州	大渚 少海	棘林 桑野	東極山 開明門
		丹澤 渚資	浩澤 大夢	元澤 具區		
	焦僥 炎土		都廣 反戸		大窮 衆女	
編駒山 白門			南極山 暑門			皮母山 陽門

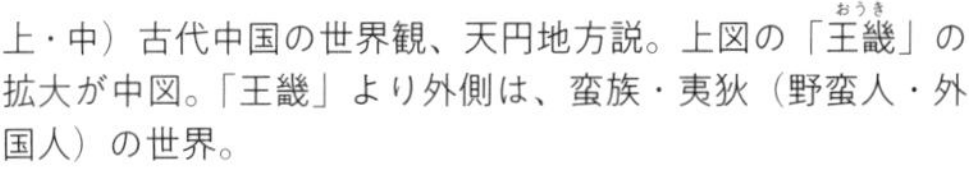
上・中）古代中国の世界観、天円地方説。上図の「王畿（おうき）」の拡大が中図。「王畿」より外側は、蛮族・夷狄（野蛮人・外国人）の世界。
下）プトレマイオスが描いた円形の地球中心図、2 世紀ごろ。

ているので、天が動くからと天動説という（地球が動くのは地動説）。

天動説を唱えた二世紀のプトレマイオスより五〇〇年くらい前には地球が太陽の周りを回っている地動説が知られていた。しかし、中世になると、地動説はキリスト教の世界観に合わない異端の説として切り捨てられた。科学的真実よりも理念を優先したのだった。この原理主義的発想は、今でも進化論を認めないインテリジェント・デザイン（この世界は知性ある何か――神によってつくられたとする説）に受け継がれている。

横道に逸れたが、「日本」という国名は、六世紀後半に天武天皇が即位したとき、国として独立する必要性が浮上し、八世紀前後に国号が「日本」と決まった。当時の日本は、中国から文化や法などほぼすべての統治制度を学んでいた。中国が日本の師匠でありモデル国である。その日本は、中国から見たら「日出る国」、つまり太陽が昇ってくる東の果てにあった。だから、日の元であることから「日本」とへりくだった。中国は、なにしろ朝貢する国。日本にマージナルとの認識が強いのも当然だ。これはのちに述べる漢字と「かな」との関係にもつながってくる。

境界人としての非人

「辺境」といっても、遠方とか山奥などの地域的なものばかりではない。階級社会での最下層にいた人びともマージナルな人びとである。梅原猛（うめはらたけし）さんや網野善彦（あみのよしひこ）さんは、日本の文化を支えてきたのは、こうした最下層の人びとだった、という。

鎌倉時代以降の中世日本で、かれらは非人、河原者、遊女などと呼ばれた（差別語も含まれるが、歴史的用語として使用する）。ここでは（少々乱暴だが）広い意味での非人とひとくくりにして述べる。

「非人」はその字のごとく、「人にあらざる者」だが、いわゆる奴隷のような人間以下的な扱いではない。「人がいやがること」を引き受けていたから「非人」と呼ばれたのだった。

中世の民衆にとって、いちばん避けたかったことは「穢れ」、つまり、死者がもたらす「穢れ」に触れること。人は死ぬと穢れ、「死」という害毒を撒き散らすと考えられていた。非人たちはその穢れを祓い清めることを仕事としていた。つまり、葬送である（行き倒れ、死んだ牛馬の処理も含まれる）。

したがって彼らは、「清める」ことの頂点にいた天皇とも直でつながるなど、特別な存在だった。民衆は、「穢れ」に立ち向かうという非人たちの特異な能力を畏れ、特別視した。非人は「聖」と「俗」をつなぐ境界人だったのだ。

現代のわれわれが、職人の見事な腕前に「神技」を感ずるのと同様、このころの人々はそれ以上に、職能民の駆使する技術、その演ずる芸能、さらには呪術に、人ならぬものの力を見出し、職能民自身、自らの「芸能」の背後に神仏の力を感じとっていたに相違ない。それはまさしく、「聖」と「俗」との境界に働く力であり、自然の底知れぬ力を人間社会に導き入れる懸け橋であった。（網野善彦『中世の非人と遊女』）

『融通念仏縁起絵巻』（15 世紀）に描かれた異類異形の輩。左下の覆面姿は乞食か非人。

彼らは日本全国を遍歴し、各地でその職能・遊芸を披露した。それも河原・中洲、道路、国境など誰の所有地でもないところで活動した。

しかも彼らは、ファッション・リーダーでもあった。非人であるゆえに、「禁忌」を犯しても、人間外という認識が強かったため、とがめ立てされなかったからだ。

たとえば彼らは、当時は一般的でなかった口ひげ、あごひげ、子どもがするようなポニー・テールで、あるいは高貴な女性にしか許されていなかった「摺衣（すりごろも）」などの衣装を着て京を闊歩した。覆面をしはじめたのも彼らだ。

そのカッコよさから、度重なる禁制にもかかわらず民衆の間でも非人風が流行した（網野『異形の王権』）。身分制社会を揺るがしかねない振る舞いだが、「失うものは何もない」がもたらしたパワーである。その末裔が歌舞伎の原型においてモデルとなった「かぶき者」。

見開きページ上）『慕帰絵詞（ぼきえことば）』（1351）に描かれた蓑がさ、覆面姿。

ただし、室町時代以降、聖なるものとの結びつきが弱まり、彼らは賤民として差別されるようになった。江戸時代に入ると、遊女が遊郭に閉じ込められるように、彼らは特定の場所に住まわせられるようになり（網野『中世の非人と遊女』）、マージナル・パワーは減退してしまった。

利休のマージナル・パワー

本書でおなじみの利休たち茶人にもマージナル・パワーがあった。彼らは「触」で述べたように「破調」を基本理念としていた。つまり、決まり切ったこと（定型）にたいする反発である。定型が中心理念とすれば破調は主流ではない、マージナルな考え方となる。

その破調のあらわれのひとつが縦ストライプ。縦ストライプ流行の話はすでに触れたが、利休も含めた当時の茶人は、縦ストライプはカッコいい、と感じた。つまり、それまで関心の薄かったストライプ模様に光を当てたのだった。単純にいえば、たまたま海外からやってきた縦ストライプの目新しさがハイカラに見えたのだろう。中国文化などを輸入したとき以来続いている外国コンプレックスの表出である。

それまで見向きもされなかったボロ布でさえ、縦ストライプが入っている、というだけで珍重したというから、まさにマージナルな負のパワーである。

もうひとつの破調例は、唐物の陶磁器隆盛の時代に、もう時代は唐物じゃなく、李朝ものだ、といったこと。しかも李朝ものは朝鮮ではよくある雑器。本音は唐物に飽きた、ということだが、雑器に光を当てたということではマージナル・パワー全開だったといえる。この選択も縦ストライプの入ったボロ布の発想と似ている。

マージナルな女性

本書で何度も登場している「ひらがな」にもそうしたマージナル・パワーに溢れている。

「ひらがな」が誕生した平安時代の支配階級はもちろん男性貴族。彼ら貴族のアイデンティティは、漢語・漢文をどれだけ上手に使いこなせるか、にあった。

一方、宮中の女官や女房といった女性たちは、その支配階級の枠から完全にはずされ、出世とも無縁。いわばマージナルな民である。

しかも彼女たちは、漢字を書くことも読むことも禁じられていた。イスラム原理主義に似た男尊女卑社会である。紫式部や清少納言はかなりの漢語・漢文の使い手だったが、それを表現する手段は封じられていた。でもことばで気持ちをあらわすことには憧れた。

この権力構造からはずれている、相手にされていないことによって逆に、彼女たちの行動の自由度は高かった。当時の男性貴族は女性（といっても貴族の周辺にいた女官たち。一般民衆ではない）を、恋の相手ぐらいにしか思っていなかったので、なにをやっても文句をいわれなかったからだ。

そして、彼女たちの手すさびのなかから「ひらがな」が生まれた。そこに、現代の女性たちの感性にもつながる発想の転換があったからこそ「ひらがな」は誕生したのだった。

ひらがな誕生

当時の正式文書は漢文。それ以外の文書には漢字と日本語由来の発音を漢字に置き換えた、通称万葉仮名を使った。万葉仮名は『万葉集』ではじめて使われたが、日本語の発音を漢字で書くことによって漢詩に見えることをめざしたのだった。漢字こそ当時のステイタス・シンボルである。

　手紙を書くとき漢字はくずして書く。万葉仮名も同様くずされ、「草仮名」となった。漢字は、正式であることから真の文字「真名」、「草仮名」は、漢字もどきということで仮りの文字「仮名」と呼ばれた。文書を扱う官僚たちが、「草仮名」と漢字を同列に語ることは漢字の格を落とすと感じたからだ。

　しかし、これが功を奏した。ちゃんとした文字として認められなかったからこそもっと自由にデザインできる。

　そして女性たちは、草仮名を丸めはじめた。曲線で表現しようとしたのだ。これこそ女性ならではのセレンディピティ。漢字には曲線の部分もあるが基本的に丸っぽさとは縁遠い。だからこそ丸を積極的に使おう、というわけだ。

　こうして女性たちの試行錯誤の末にひらがなが誕生した。各自の試みが相乗的に発展していく、「はじめに」で触れたように、ブレイン・ストーミング（意見を否定しないでよりよい解決法を見つけること）でどんどん盛り上がっていくみたいなものだろう。

彼女たちはひらがなを自分たちの文字として手紙などで積極的に使い、より洗練させた。だから、漢字の「男手」にたいしてひらがなは「女手」と呼ばれた。加えて、貴族たちも、女官の歓心を買うためにひらがなの手紙を書くようになった。女官たちは自分たちの文字を使った男性からの手紙にぐっときたのだろう。同時に手紙に添えられた和歌にもひらがなが使われるようになる。

紀貫之（きのつらゆき）は、通常の日記は漢文で書いていた。しかし、日本語が持つ細やかな感情の機微は漢文ではうまく表現できないと考えたのかどうか、土佐から京に帰る帰途を日記風にひらがな中心で綴った。それが『土佐日記』（九三五年ごろ）。『土佐日記』の登場によって、漢字支配からの脱却、日本の独自性へのめざめとともに、ひらがなの市民権が確立した。

「ひらがな」の誕生は、マージナルな文化が中心に躍りでた出来事といえる。本書で何度も言及しているように、日本文化が持つ優しさ、可塑性はひらがなあってこそ生まれた感性である。

左ページ）日本橋人形町の、変体がなを使ったそば屋の看板。筆者撮影。

変体がなの誕生

「ひらがな」という呼び名は戦国時代末期の一六世紀にできたことばだそうだ（石川、前掲書）。このとき「ひらがな」のベースとなった漢字は各々数種あり、それを用途によって使い分けた。たとえば「い」には、「以、伊、移、意」の漢字がベースとしてあり、「ろ」は「呂、路、露、婁、樓」、「は」は、「波、者、八、半、盤、破、葉、頗」。

ところが、明治時代の一九〇〇年（明治三三）、「小学校令施行規則」がだされ、「かな」は一音一字に決められてしまった。「い」は「以」をベースとした。「ろ」は「呂」、「は」は「波」である。それ以外の、漢字を元にしたひらがなは「変体がな」とひとくくりにされ、書道などでたまに使われる文字となってしまった。

身近では、そばやののれんの「そば」には、「楚者」を元にした変体がなが使われているのをときどき目にする。

石川九楊さんは、この「ひらがな」の来歴の統一は、明治になって近代活字が登場したことで起きた言論統制だ、と語る。

近代の活字印刷によって書物が普及しました。その過程で、日本語を国家・国民語として統一していく役割を、近代活字が果たしました。規模はむろん違いますが、秦の始皇帝の文字統一、つまり焚書坑儒の日本版です。（『九楊先生の文字学入門』）

レイアウトの仕方

次は、このマージナル・パワーをそのままグラフィック・デザインに応用した例について。

グラフィック・デザインにおいてレイアウトをするとき、とりあえずスペースに必要な情報を適当に置き、どのようにレイアウトするか考える。ちょっとでも方向性があれば、ことは割合スムースに運ぶ。ノーアイデアのときは……、時間に余裕があれば、関係ないことで気分を変える。散歩したり、書店に行くなど。時間がないときは、無理矢理いくつかのレイアウト・パターンを試してみる。手っ取り早いのは情報をどこか一ヵ所に固めてしまうこと。

スペースのまんなかに情報を集めるのは常道、というかレイアウトの基本。それでうまくいかないときは、上部、あるいは下部、もしくは全体・周囲に展開する。

上部に情報を固めるのを、ぼくは「天上志向」と呼んでいる。本でもなんでも紙面の上部を「天」、下部を「地」と呼ぶからだ。石川九楊さんは、単なる紙に文字なり絵が記され、描かれたとき、そこには天と地が発生する、と述べている(石川、前掲書)。

また、「天をめざす」という意味でキリスト教的価値観を感じる人もいるかもしれない。そのせいかどうか、書籍の本文のレイアウトの場合、本文が上部にあると、全体に「威厳」あるいは「硬さ」を感じる。本文の下側に大きく余白をとれば、かなり攻めているデザインとなる(下段の余白を註・図版スペースに使うときもある)。

一方、下のほうに本文をレイアウトした場合、やさしさが醸しだせ、本を読む

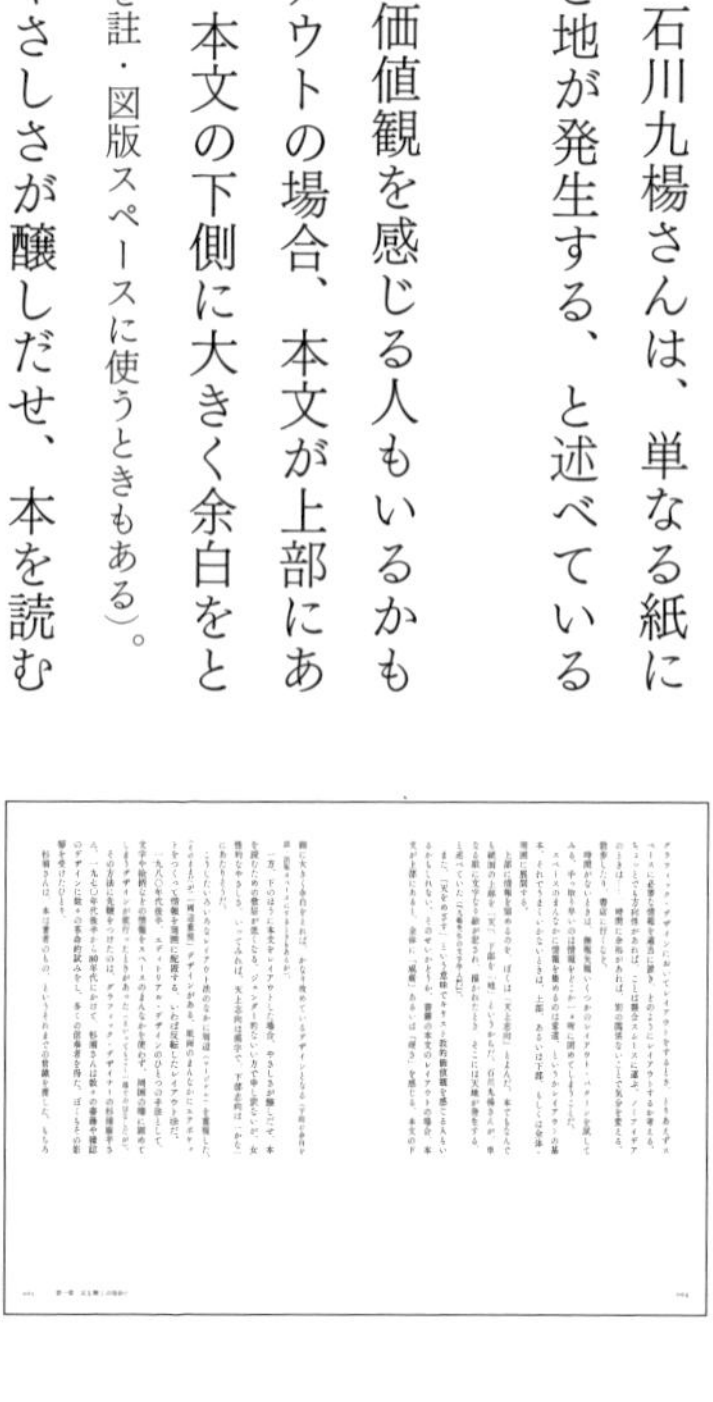

書籍レイアウトの「天上志向」例。本書のレイアウトも天上志向。

ためのハードルが低くなる。ジェンダー的ないい方で申し訳ないが、女性的なやさしさ。いってみれば、天上志向は「漢字」で、下方志向は「かな」にあたる。

こうしたいろいろなレイアウト法のなかに周辺（マージナル）を重視した、（そのままだが）「周辺重視」デザインがある。紙面のまんなかにエアポケットをつくって情報を周囲に配置する、いわば中心重視から反転したレイアウト法である。

グラフィック・デザイン界の革命児

一九八〇年代後半、エディトリアル・デザインのひとつの手法として、文字や絵柄などの情報をスペースのまんなかを使わず、周囲の端に固めてしまうデザインが流行ったときがあった（といってもごく一部での話だが）。

その方法に先鞭をつけたのは、前出のグラフィック・デザイナー、杉浦康平さん。一九七〇年代後半から八〇年代にかけて、杉浦さんは書籍や雑誌のデザインに数々の革命的試みをし、多くの信奉者を得た。ぼくもその影響を受けた。

杉浦さんは、本は著者のもの、というそれまでの常識を覆した。もちろん著者のものではあるが、同時にそれに携わったデザイナーのものでもあるとした。デ

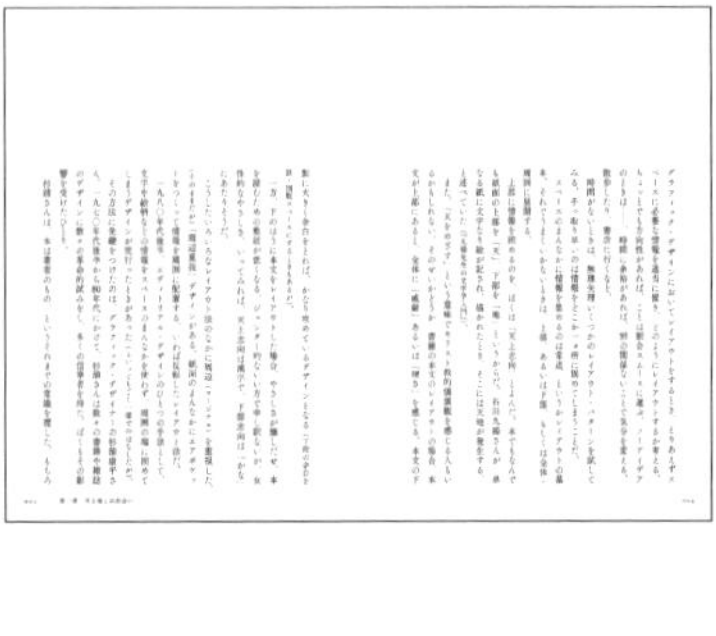

書籍レイアウトの「下方志向」例。

ザイナーの作家性に光を当てようとしたのだった。

実際、善かれ悪しかれ、著者そっちのけのデザインが目立った。それまでの装幀の世界で、善かれ悪しかれ、本の内容以上にデザインがこれほど前面にでたことはなかった。

そのことは、杉浦さんが、著者とともに奥付に装幀者名が載ることにこだわったところにもあらわれている。奥付に装幀者名も載せるということは、著者と同等とまではいわないにしても、かなりの主張度である。それだけデザインは書籍にとって重要であり、責任がある、ということだろう。ちなみに、よくある装幀者名の入れどころは、目次ウラか奥付の手前ページ、奥付ページながら奥付とは別扱いの制作スタッフ欄だ。

そして、杉浦さんの作家性を前面にだすという方針を受け継いだ杉浦チルドレンも多かった（ぼく自身は、たとえ攻めたデザインをしたとしても、本はやはり著者のものと思っている）。

文字を斜めにする

その、たくさんある杉浦デザイン言語のうちで、特に衝撃をもって迎えられた手法がふたつあった。ひとつは、書名などの文字を斜めに組むこと。今では斜めに文字を組むなどそれほど突飛ではないが、七〇年代後半から八〇年代にかけてはすごく新鮮だった。

当時の印刷は、活字を使った活版印刷と写植を使ったオフセット印刷が混在していた。写植の場合は、印字された印画紙を斜めに貼ればよいだけなので、文字を斜めにすること自体は簡単。ところが、活字を斜めに組むためには、活字の清(きよ)刷りを使って画像扱いで活版印刷するか、オフセット印刷にするしかなく、かなり面倒だったので、活版印刷では、「斜め」という発想自体がなかった。

しかも、杉浦さんの場合、斜めにする角度はほとんど同じ（四五度か二三・五度。中途半端な角度はない）。二三・五度というのは、地球の公転面にたいする地球の地軸の角度（今は二三・四度が一般的）。地軸を持ちだすところなど知性派デザイナーの草分け杉浦さんらしい。

杉浦さんの斜めレイアウトのルーツは、（ご本人から直接伺ったわけではないが）おそら

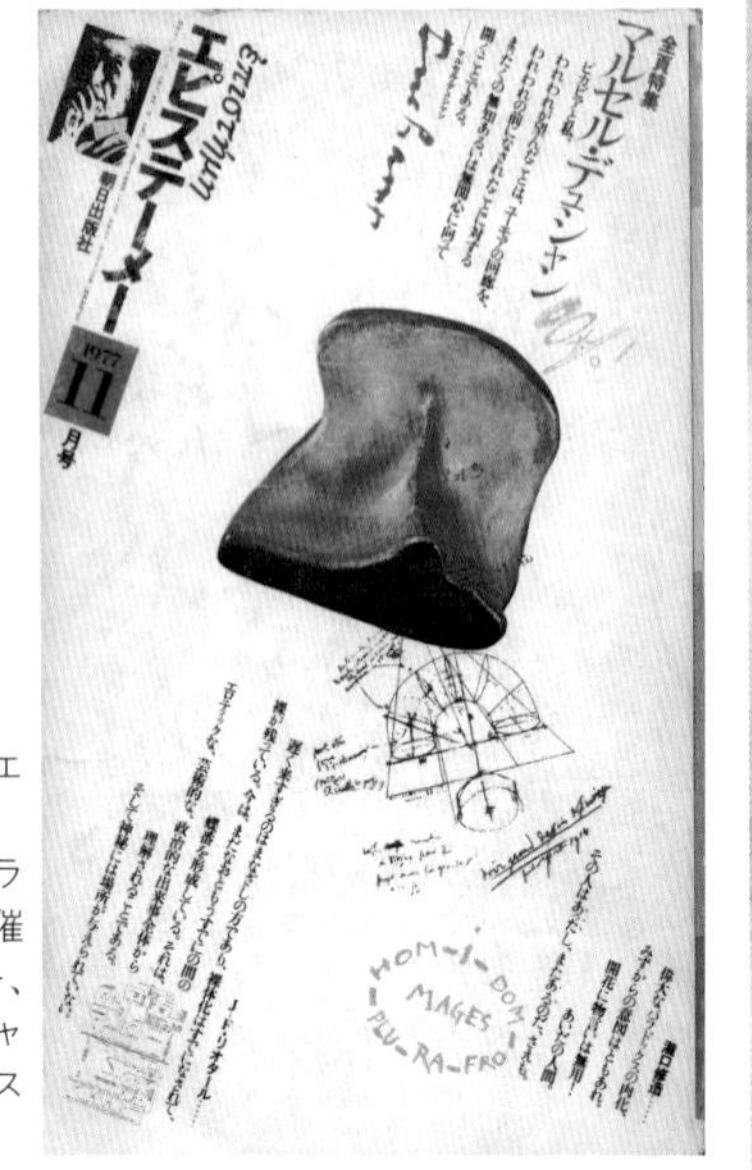

右）杉浦さんの斜めレイアウト例。雑誌『エピステーメー』表紙、1977。
左ページ右から）ピカソのパピエ・コレ〈ラ チェルバ〉1914。バーゼル産業博物館で開催された「バウハウス・デッサウ」展ポスター、デザイナー不明、1929。ロシア・アヴァンギャルドの「1日保育所をもっと増やそう！」ポスター、デザイナー不明、1931。

く未来派、ダダ、バウハウス、ロシア・アヴァンギャルドというモダン・デザインの流れからの影響だろう。

未来派、ダダは、アートという面から文字を水平垂直という角度、いってみれば重力のくびきから解放し、文字を自由に浮遊させたのだった。その背景には、パブロ・ピカソやジョルジュ・ブラックのパピエ・コレ（コラージュ）による、斜めに貼られた印刷物の断片などの試みも見逃せない。

そして、バウハウス、ロシア・アヴァンギャルドは、その斜めレイアウトをデザインとして展開した。

しかし、日本では「かな」が誕生して以来、継色紙などでのレイアウトを見る限り、それこそ「かな」が漢字を翻弄するかのように、重力の影響を受けずに、自由にレイアウトされている。

江戸時代でも、木活字を使いながらも斜めに組まれたテキストが散見される。杉浦さんの斜めのレイアウトの背景に日本文化からの影響もあったとしてもおかしくない。

「周辺重視」のルーツ

もうひとつが、本章のテーマである「周囲」に比重を置いたレイアウト。まず杉浦さんの「周辺重視」デザインをみてみよう。

例の斜め文字もあるが、基本的に周囲のどこかに情報を寄せている。斜めには躍動感があり、周辺重視は広がりを感じる。

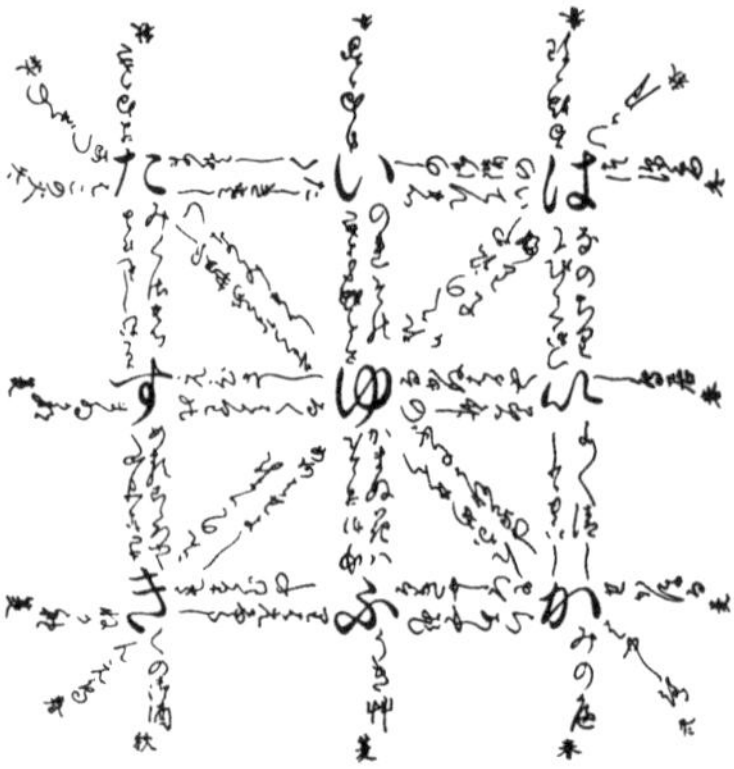

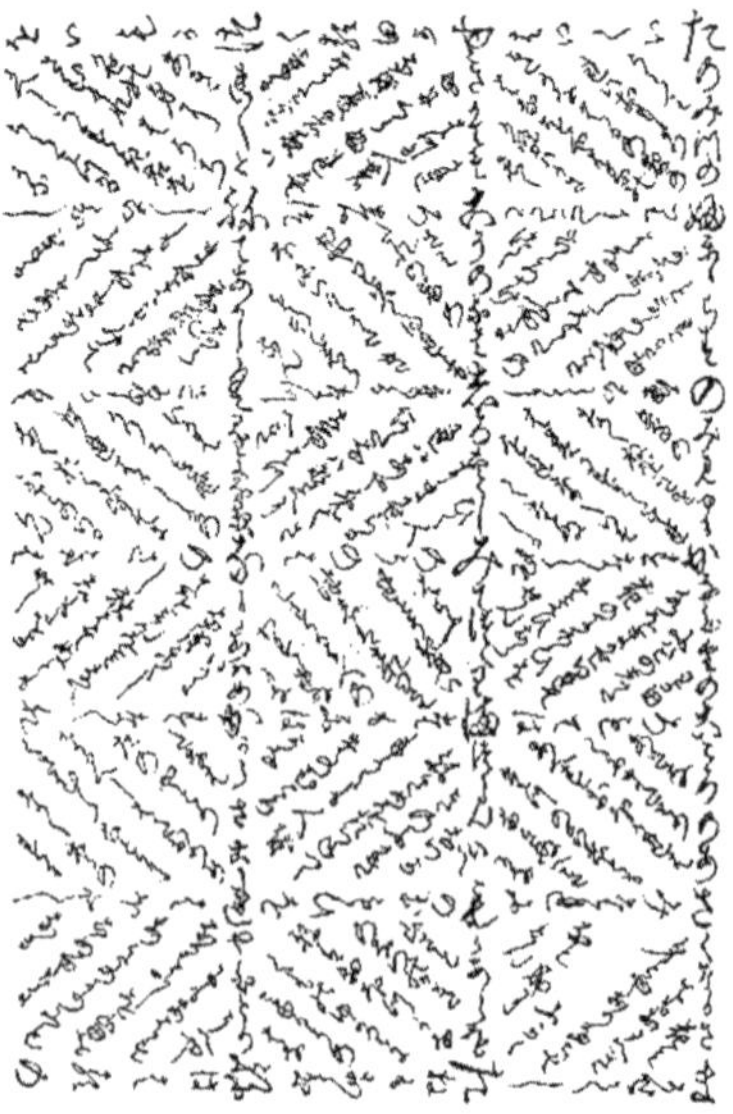

上2点）江戸時代の文字遊び「八重襷（やえだすき）」など。和歌や俳句を組み合わせている。
左ページ）杉浦康平さんデザインの雑誌。
上・中4点）斜め文字と周辺重視デザインの雑誌『季刊銀花』表紙、上右から55号、56号（1983）、中右から59号、60号（1984）。
下3点）雑誌『エピステーメーII』表紙、右から0号（1984）、1号（1985）、2号（1986）。

季刊「銀花」
第五十六号
1983
佐藤勝彦、金太郎。プラス佛様
肉筆書画を挿入

季刊「銀花」
第五十五号
1983
金澤
生命の色、浄土の彩、加賀の朱と金

季刊「銀花」
第六十号
1984
縁起菓子
冬

季刊「銀花」
第五十九号
1984
秋

epistēmē
auto-organisation
自己組織化

epistēmē

epi-stēmē
epistrophe
Foucault

こうした杉浦さんの発想のルーツを少したどってみよう。

まず、すでに本書で登場している俵屋宗達や、尾形光琳、酒井抱一で知られる〈風神雷神図屏風〉。

下界に風をもたらす風神と雷を起こす雷神を対としたモチーフは仏教美術では定番のひとつだが、それを両端ギリギリにレイアウトをして描いたのは俵屋宗達が最初。それを尾形光琳や酒井抱一が模写してひろがっていった。

両端にレイアウトされるだけではなく、裁ち落としで使うことで画面の緊張感が増している。この裁ち落としこそ周辺重視を活かすための最重要ポイント。宗達や光琳に比べて抱一はやや画像の裁り方が弱く、緊張感は宗達、光琳に劣る。

抱一の弟子、鈴木其一も「風神雷神」を描いているが、各々独立した絵のようになっていて、抱一よりも周辺重視の観点からはさらに遠のいている。

ともかく、中心をはずして左右を強調したレイアウトがもたらす緊張感は宗達の絵を嚆矢とするだろう。

ちなみに、アメリカにも中心をはずして左右のみに描いたモーリス・ルイスという画家がいた。ルイスは、ジャクソン・ポロックのドリッピングなどに影響さ

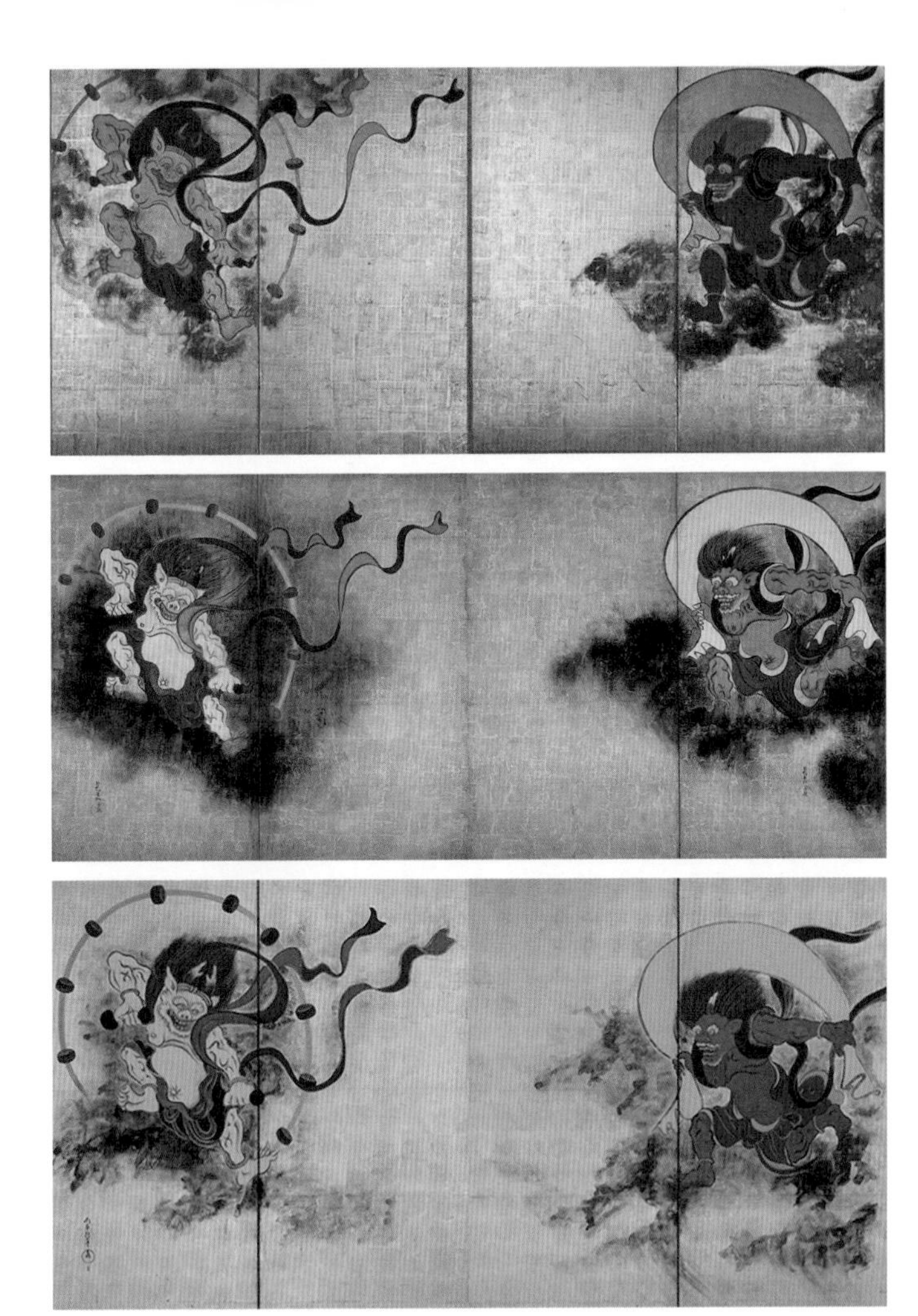

上）俵屋宗達〈風神雷神図屛風〉17 世紀前半。
中）尾形光琳〈風神雷神図屛風〉18 世紀前半。
下）酒井抱一〈風神雷神図屛風〉1821 ごろ。

鈴木其一〈風神雷神図襖〉19 世紀。

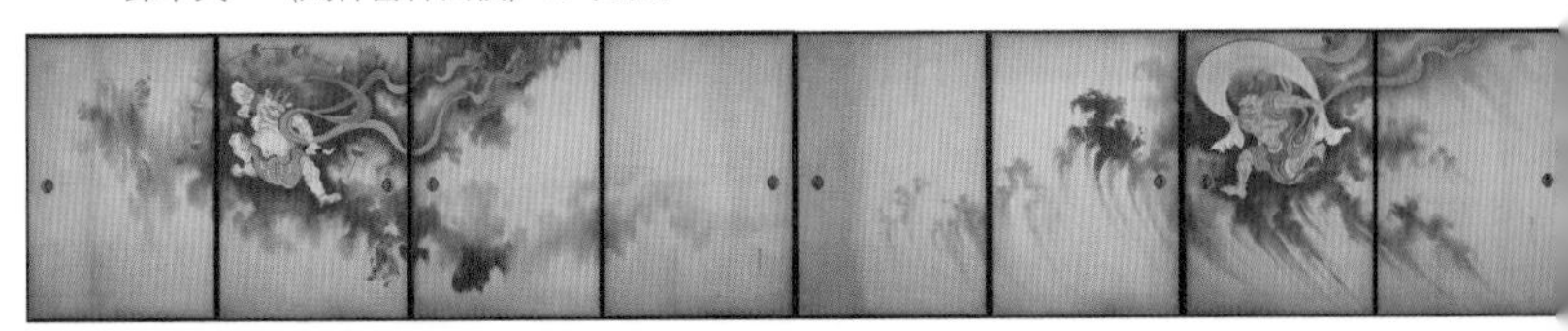

れたので、描いたというよりは、ポロックのように絵の具（アクリル絵の具を溶剤等で薄めたもの）を垂らして作品をつくった。

そのなかに「アンファールド」シリーズというのがある。「アンファール（unfurl）」は、「丸めたものを広げる」という意味。ルイスが、キャンバスを丸めてから広げ、その丸みを帯びたキャンバスの両端に絵の具を垂らして作品を制作したところからその名がある。そこでは、中心に大きく空白が広がり、左右のみに色の線が三角形のスペースを埋めるように流れている。

このシリーズの絵は、カンバスの中央上部に大きな空間が広がっているので見分けがつく。キュビストにとってさえもっとも重要なものとして慣例的に扱われていたこの部分が、完全に空白のまま残されているのだ。鑑賞者の注意は、ただちに絵の上部に引きつけられるだろう。なぜなら、ワシリー・カンディンスキーが指摘するように、そこは鑑賞者の魂や心を高揚させる領域だからだ。（エリック・R・カンデル『なぜ脳は

モーリス・ルイスのアンファールド・シリーズ〈アルファ・タウ〉1960〜61。

鑑賞者は、この大きく広がる空白に目を奪われる。垂らした絵の具で描かれた部分は、結局、中心の空白を目立たせるためにあったのだった。これも周辺重視がもたらす緊張感のひとつだろう。

モンドリアンの周辺重視

「周囲」に比重を置いたデザインでは、ピエト・モンドリアンの後期の作品も思い浮かぶ。

モンドリアンは、一九二一年ごろから、黒い水平・垂直線のグリッドと赤・黄・青の三色(そして、黒の枠線と地の白)を使った色面で構成するコンポジション作品をつくりはじめた。その作品のいくつかは、中心には白いスペースだけでほかになにもなく、周囲に線や色面をレイアウトしている。しかも、最晩年には色面を使わずカラーの線のみとなり、死亡する三年前の一九四一年のいくつかの作品は、そのカラーの線を絵の具を使わず、カラー・テープで代用している。

モンドリアンの作品は、このような線と面だけの表現や、絵の具の代わりにテープを代用したことなどから、絵画とデザインの境界をとっぱらったとして「産業化された美」といわれた。

モンドリアンはもともと具象で風景画を描いていたが、徐々に抽象画に向かっていった。彼は樹木の風景をよく描いていたので、この抽象化されていく流れは見事にたどれる。それを見ていくと、モンドリアンの抽象、そして周辺重視は、遠近法を抽象化したらこうなってしまった、というような印象がある。

ところで、モンドリアンにおける周辺重視の発想はどこからきたのだろうか。

モンドリアンのコンポジション作品、上から1921、1929。真ん中の作品は周辺重視が極まっている。一番下の〈New York City III〉（1942ごろ）と題された作品はカラー・テープでつくられている。

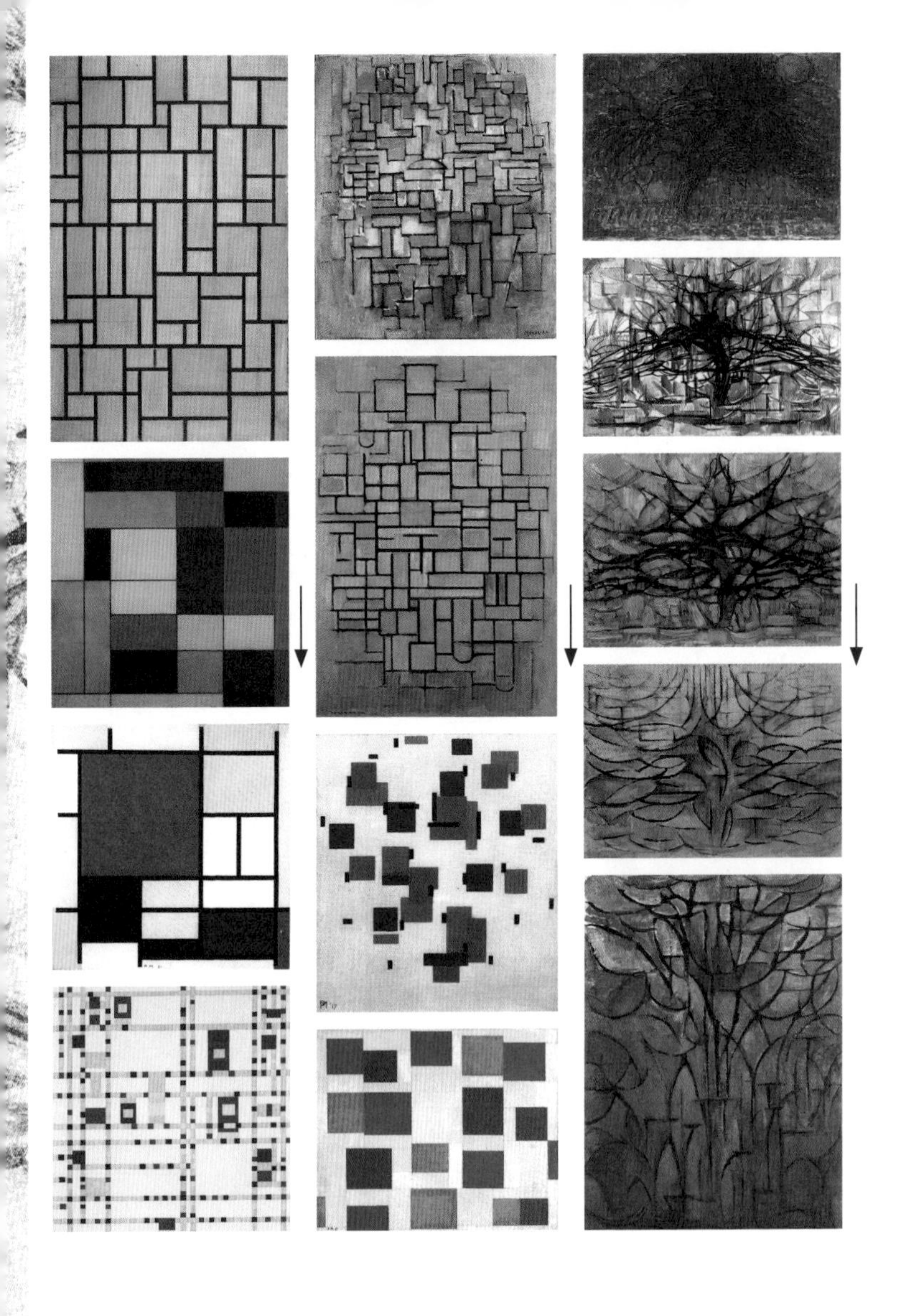

モンドリアンの 1908 ～ 43 年までの作品の変遷。
抽象化の流れが辿れる。右上が一番古く、下に進む。

これも本書で何度も言及している浮世絵の構図がヒントとなっていたかもしれない。フランスでジャポニスム・ブームが起きたころ、モンドリアンはオランダで美術学校の学生だった、第一次世界大戦前までの数年間はパリで勉強もしていた。

葛飾北斎の〈冨嶽三十六景　神奈川沖浪裏（なみうら）〉や、歌川広重の〈東海道五十三次之内 日本橋〉、〈名所江戸百景　びくにはし雪中〉、〈名所江戸百景　亀戸梅屋舗（うめやしき）〉などを見る

上左）葛飾北斎〈冨嶽三十六景　神奈川沖浪裏〉19 世紀前半。
右上／右中／右下）歌川広重〈東海道五十三次之内 日本橋〉、〈名所江戸百景　びくにはし雪中〉、〈名所江戸百景　亀戸梅屋舗〉いずれも 19 世紀半ば。

と、これを抽象化していったら周辺重視になりそうな気配がただよっている。省略していったら近景が残るからだ。

周辺重視の認知心理学

もうひとつ認知心理学的アプローチもある。

脳には、眼という端末を使って、情報を補う能力がある。これは、人類の進化過程で獲得したリスク・マネジメント（危機管理）の発展形である。

そのひとつが、ふたつの点（丸）から敵の存在を認識すること。ふたつの点は、「両眼」を感じさせる。両眼を認識し、そこから全体を想像し、敵かどうかの見極めをする。リスク・マネジメントの警報である。

もうひとつは輪郭識別能力。これはエルンスト・マッハが発見したマッハ・バンド（なだらかなはずのグラデーションに帯を認識すること）で証明されたエッジ強調能力である。このことで輪郭が浮かび上がり、全体が想像できて敵かどうかがわかる。

ここでの「周辺重視」にはこのエッジ強調能力がかかわっている。つまり、全体像を補完する能力で、心理学では「体制化」とか「補完作用」と呼んでいる。

たとえば、文字の冗長度の調査、つまり文字の一部を見てどれだけ全体がわかるかを調べればその「補完作用」の力を知ることができる。

アルファベットは、ひと文字を水平・垂直で四分割した場合、少なくとも右上が見えていれば判別できるとされている。漢字の場合は、四方の要素が判別できれば、まんなかがある程度隠されていても識別できる。試しに図のように

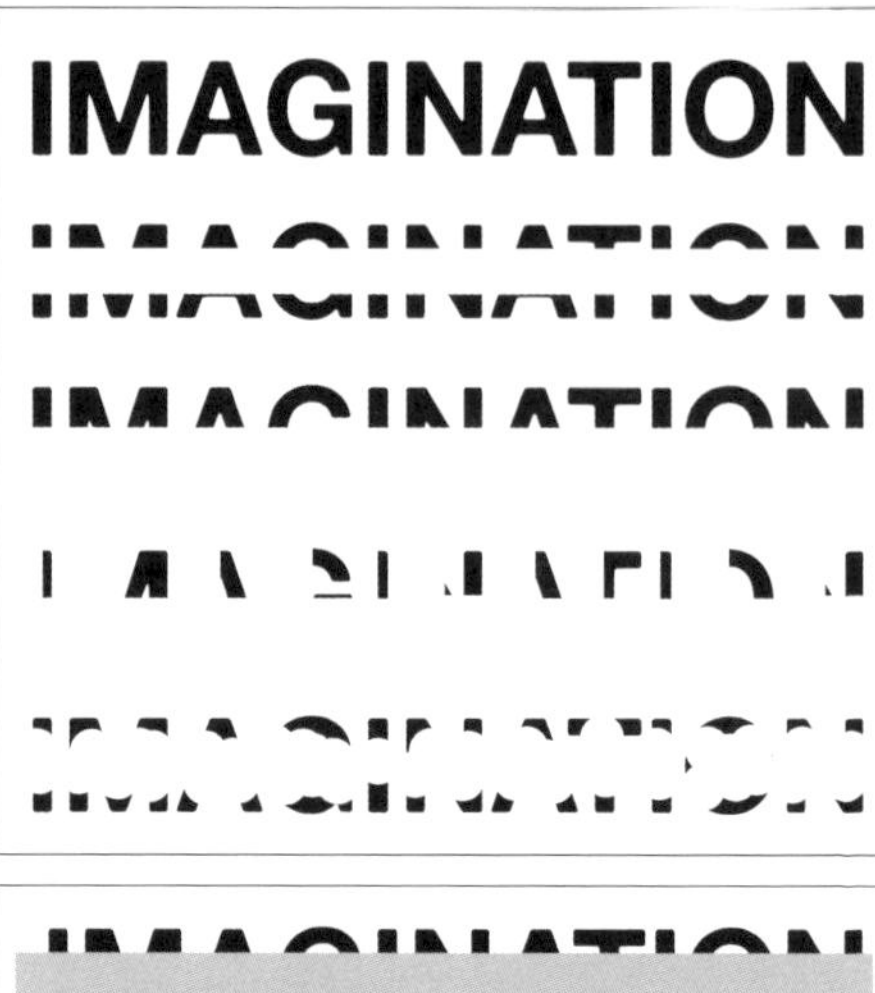

上）「IMAGINATION」の一部を隠して判別を試したもの。
中上）その隠した部分をグレーにしたもの。判別力はアップ。
中下）同様に漢字「想像力」の一部を隠したもの。
下）その隠したところをグレーにしたもの。同様に判別力が上がる。

「IMAGINATION」と「想像力」をもとにいくつかつくってみた。

「IMAGINATION」は半分くらい隠してもなんとかわかる。四分の三までがぎりぎりだ、というが、この例ではほとんどわからない。ただし、隠したところをグレーにすると少しはっきりしてくる。

漢字の「想像力」はアルファベットに比べて白地のままでもかなりのところまで判別できる。グレーを補えばもちろんばっちり。

ここから、見えない部分が多くても漢字のほうがアルファベットより認識できることがわかる。これは漢字がアルファベットに比べて認識ポイントが多いから。

杉浦さんが、文字をどこまで小さくしたら読めるか、とか、小さい文字を多色刷りして多少版ずれしてもどこまで読めるか、などの試みをしてきたところをみると、周辺に寄せたレイアウトの発想は、認知心理学からきていると思える。

周辺重視とエロティシズム

ちなみに、杉浦さんがはじめた「周辺重視」レイアウトをより徹底したデザイナーは戸田ツトムさんだ。画像を全体像がもはや把握できないところまでトリミングし、中心のホワイトスペースを限りなく広くとっている（下図）。いってみれば、あたかも日本的エロティシズムのひとつ「チラリズム」を表現しているように感じる。

　モンドリアンが日本の浮世絵から受けた（ぼくが勝手に思っているだけだが）影響はその抽象性や色ベタばかりではない。エロティシズムも感じ取っていたように思える。モンドリアンの黒のグリッドのスキマから色を覗かせたところなど、限りなくエロティックに感じるからだ。

西洋絵画では、前景に障害物を置くのはタブー。描く対象は隠さず描いてきた。ところが浮世絵は、その常識を軽々と乗り越えた。すでに触れたように手前に太い木の枝がきたり、葛飾北斎のように、竹林の向こうに富士山が見えるという構図などは当たり前である。

　これは本書で何度も触れているように、森の木々のすきまからその向こうの風景を見ると、あたかも風景が切り取られているように見え、いくつもの風景が混

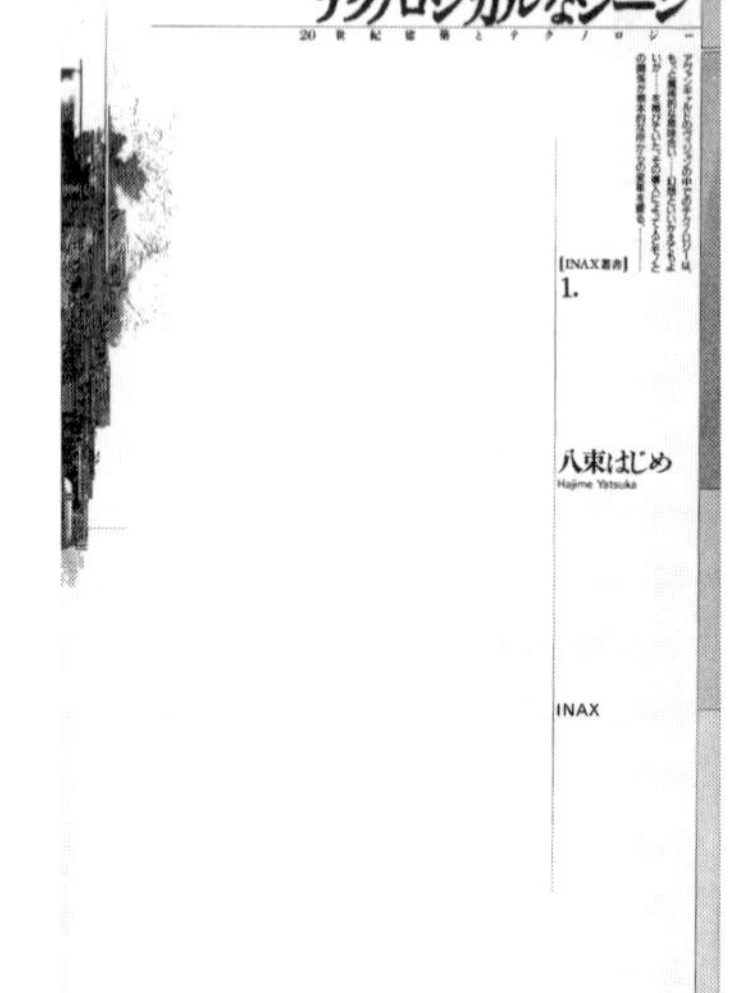

『テクノロジカルなシーン』（八束はじめ）の表紙、1991。戸田ツトムさんデザイン。

在しているような錯覚に陥る、例の点景観である。

　この構図が刺激的だったのはたしかで、モネも木の間から見える風景を描いている。木の枝によってその先にある風景の全体像がちゃんと把握できないもどかしさが想像力を刺激するのだろう。これは「すだれ効果」というらしい（馬渕明子『ジャポニスム』）。〈源氏物語絵巻〉にあるように対象を御簾ごしに見る見方は、「対象の前に簾や草を置くことによって、その向こう側に描かれたものをいっそう引き立てるという、「いき」の美学」（馬渕、前掲書）のひとつだという。「余」で述べたように、江戸の美学は説明的なことを嫌う。この「すだれ効果」もその延長線上にあるかもしれない。

「すだれ効果」のもどかしさは、女性の着物の裾から見える素足にもつながっている。男性がその素足にエ

右）竹林越しに富士山を望む葛飾北斎〈富嶽百景　竹林の不二〉1835。
左）クロード・モネ〈木の間越しの春〉1878。

ロティシズムを感じるのは、素足が全体を想像、あるいは妄想させるからだ。

そして、この「周辺重視」レイアウトにも、中心に置かれた広大なホワイト・スペースと、それでトリミングされ、一部しか見えない図版への興味、これらがあわさってエロティックに感じられるのだろう。

九章

張

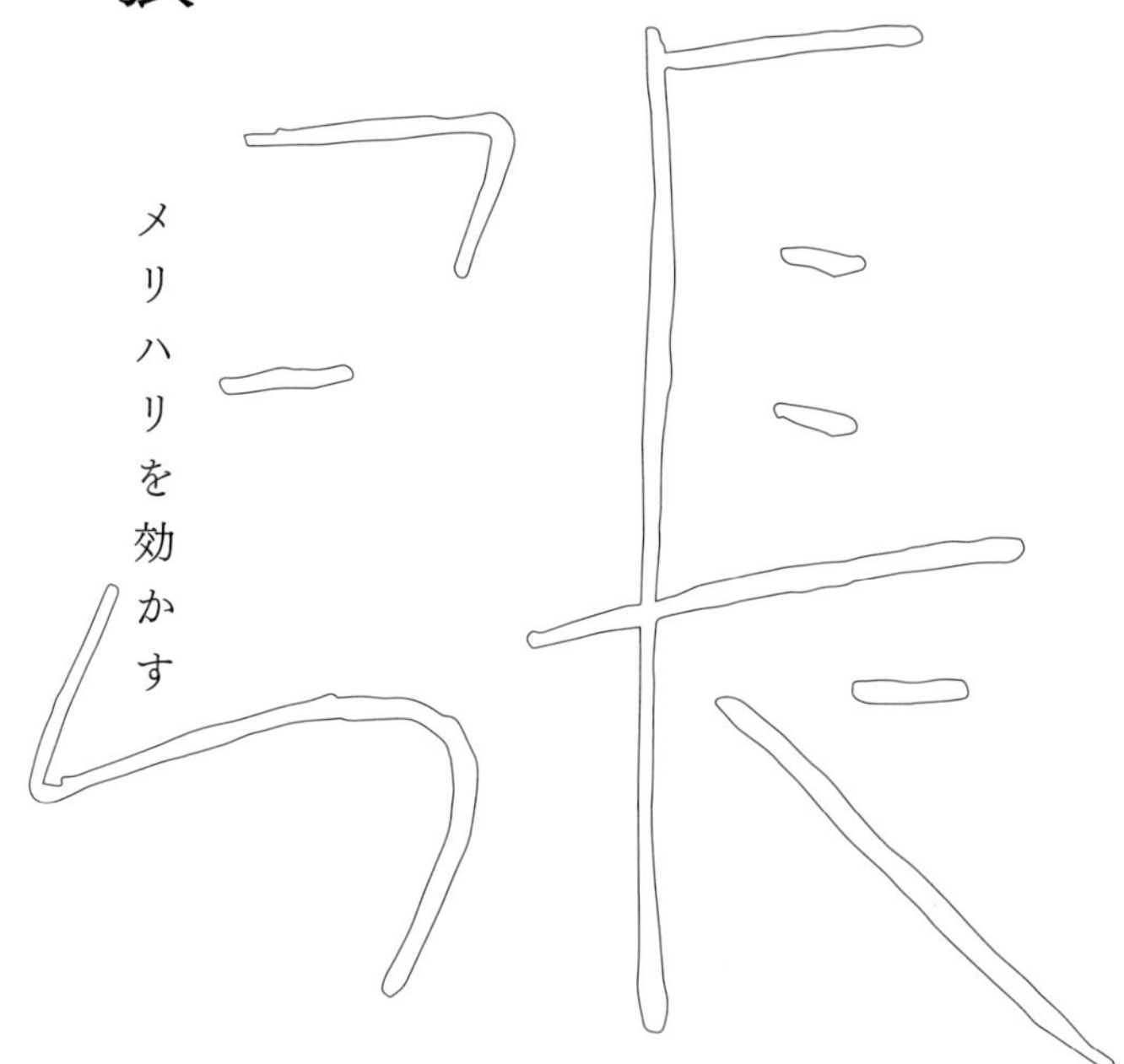

メリハリを効かす

メリハリとは

「メリハリ」とは、もともと邦楽用語からきている。低い音を「減(め)り」、高い音を「上(か)り・甲(カリ)」と呼んでいた。この「カリ」が転じて「張(は)り」となり、音楽に限らず表現全般において、強弱をつけることで対象を浮き上がらせ、シャープにするときに使うようになった。

クロースアップを効果的に挿入した映画は、観る人をワクワクさせる。映像にメリハリが与えられるからだ。逆に、クロースアップが多過ぎると、全体の印象が把握しづらい。全体像とディテールの往還が大事である。

写真でも、近景と遠景を対比させたメリハリのある表現は、迫力がある。今やポピュラーな構図のひとつとなっている。

こうしたメリハリをつける表現手法のルーツに浮世絵の構図があったとしたらどうだろう。つまり、手前に近景が大きく広がり、その向こうに遠景が見える構図である。本稿で、すでに何度も言及している葛飾北斎〈冨嶽三十六景　神奈川沖浪裏(なみうら)〉や、歌川広重〈名所江戸百景　亀戸梅屋舗(うめやしき)〉がその代表例だ。

その浮世絵的構図を効果的に使ったアーティストに、ロシア・アヴァンギャルドのエル・リシツキーがいる。

ロシア・アヴァンギャルドの隆盛

リシツキーは、ロシア・アヴァンギャルドの中心人物のひとり。アーティスト兼グラフィック・デザイナー。彼は、浮世絵的構図、つまり、近景のクローズアップと遠景を対比させたメリハリのある写真の構図を使っている。その構図採用の背景には、人生の起死回生策のひとつという側面もあった。そこでまず、リシツキーがその構図にたどりついた背景を簡単にたどってみよう。

すでに触れたが、カラヴァッジョが一七世紀はじめに描いた、明暗を強調した絵画は、攻勢をかけてくるプロテスタント派に対抗すべく、カトリック教会から、インパクトのある絵画を、という要請に応えたものだった。リシツキーの場合も、インパクトのある誌面を、という国家の要請に応えたものだが、自らのキャリアを賭けるものでもあった。

リシツキーの主な活躍時期は、一九一七年のロシア革命から二〇年ほど。革命

右ページ
右）葛飾北斎〈冨嶽三十六景　神奈川沖浪裏〉19世紀前半。
左）歌川広重〈名所江戸百景　亀戸梅屋舗〉19世紀半ば。

直後のリシツキーらロシア・アヴァンギャルドは、革命側と呼応して発展し、後世に影響を与える多くの刺激的な作品を残した。

ただし、ロシア・アヴァンギャルドの抽象表現主義が我が世の春を謳歌したのは束の間の、革命後約一〇年。一〇年しか続かなかったのは、芸術表現にたいする国家の関与があったから。それは、ロシア・アヴァンギャルドが推し進めていた抽象表現主義から、古典的リアリズムに社会主義を味付けした「社会主義リアリズム」に方針が変更されたからだった。共産主義体制下では、表現手法も国家の意向にしたがわなければならない。独裁国の強大な国家権力の前では、表現の自由どころか、個人の自由もない。

ロシア・アヴァンギャルドのもう一方の雄、ウラジーミル・タトリンのことばがそれをうまくいいあらわしている。

古いものでも、新しいものでもなく、必要なもののために!（ソロモン・ヴォルコフ『20世紀ロシア文化全史』）

それによってリシツキーも身の処し方を問われることとなった。

革命とはすべてをゼロにすることである。ロシア革命も例外ではない。既得権益を得ている者は当然パージされ、次の体制では冷や飯を食わされる。最悪粛清される。

まだ、革命の帰趨がはっきりしない、赤軍と白軍が争っていた内戦時代（一九一八〜二一）、旧来の美術関係者は、どっちにつくか決めかねていた。誰しも考えることは同じ、優勢な側につきたい。

ところが、抽象表現主義者であるロシア・アヴァンギャルドたちは、即座に革命側についた。彼らはヨーロッパでは多少知られた存在だったが、ロシアではまだまだマイナー。ここで一気に主流派になるべく賭けにでて革命側についたのだった。

おかげで彼らは芸術に関する要職につくことができた。そこで彼らは、抽象表現を基軸に据えた革命のためのプロパガンダに邁進した。当然旧美術側は冷や飯を食わされた。そして、アヴァンギャルド側は、権力側についていることで調子に乗り、旧美術側を中傷した。多木浩二さんのことばを借りれば「アヴァンギャルド独裁」（『進歩とカタストロフィ』）である。

ロシア・アヴァンギャルドの凋落

無我夢中で突っ走っているときはそれでもよかった。革命でゼロ地点に戻されたロシアでは、生産体制も崩壊。「妥協」ということばを知らない独裁者ウラジーミル・レーニンは「戦時共産主義」（今はまだ戦争中という意味）、つまり緊急事態だとして、農民から食糧を徴発した。ただでさえ内戦で生産力が落ちていたところに、レーニンの身勝手な要求に農民は疲弊した。都市住民も食糧不足で、餓死者が続出、国の崩壊一歩手前まで追い詰められた。強気のレーニンもとうとう政策転換を迫られた。

そこでレーニンは、一部市場経済を導入した。敵視する資本主義を一部とはいえ導入せざるをえないほど経済は逼迫（ひっぱく）していたのだ。この政策を（そのままの呼び名だが）「新経済政策（ネップ）」と称した。これが功を奏して経済は立ち直りはじめた。ロシア革命から四年後の一九二一年以降のことである。

そして、レーニンが病死（一九二四）し、そのあとの権力抗争を経て実権を握っ

右）マレーヴィチ〈黒い四角形〉1915。
左ページ）ロトチェンコ〈純粋な赤・純粋な黄・純粋な青〉1921。ロトチェンコの最後の絵画作品。

たのがヨシフ・スターリン。ネップによって貧富の差が生じはじめていたことにたいしてスターリンは、ネップを反社会主義的だとして非難、そのかわりに第一次五ヶ年計画を発表（一九二八）、強力な社会主義化路線を歩みはじめた。それに芸術政策も含まれ、のちに前述の、表現はすべて「社会主義リアリズム」に則るべしとされた。

カジミール・マレーヴィチの、白地に黒ベタの四角形だけを描いた〈黒い四角形〉（一九一五）からはじまったアヴァンギャルドの隆盛は、革命後三年半で表現の限界を露呈しはじめていた。抽象表現で大事なのは、その表現が持つ「内容・意味」。それがないと単なるコンポジションになってしまう。作品ではなく「スタディ（研究）」である。

その究極の表現が、アレクサンドル・ロトチェンコ〈純粋な赤・純粋な黄・純粋な青〉（一九二一）。赤・黄・青の三原色をキャンバス一枚ずつに塗っただけの作品である。もはやこれ以上なんともいいようのない究極の作品である。

また、ネップにより経済が上向き、人びとに普通の生活が訪れた。その余裕が、もはや形式的になってしまったアヴァンギャルドの表現を必要としなかったとい

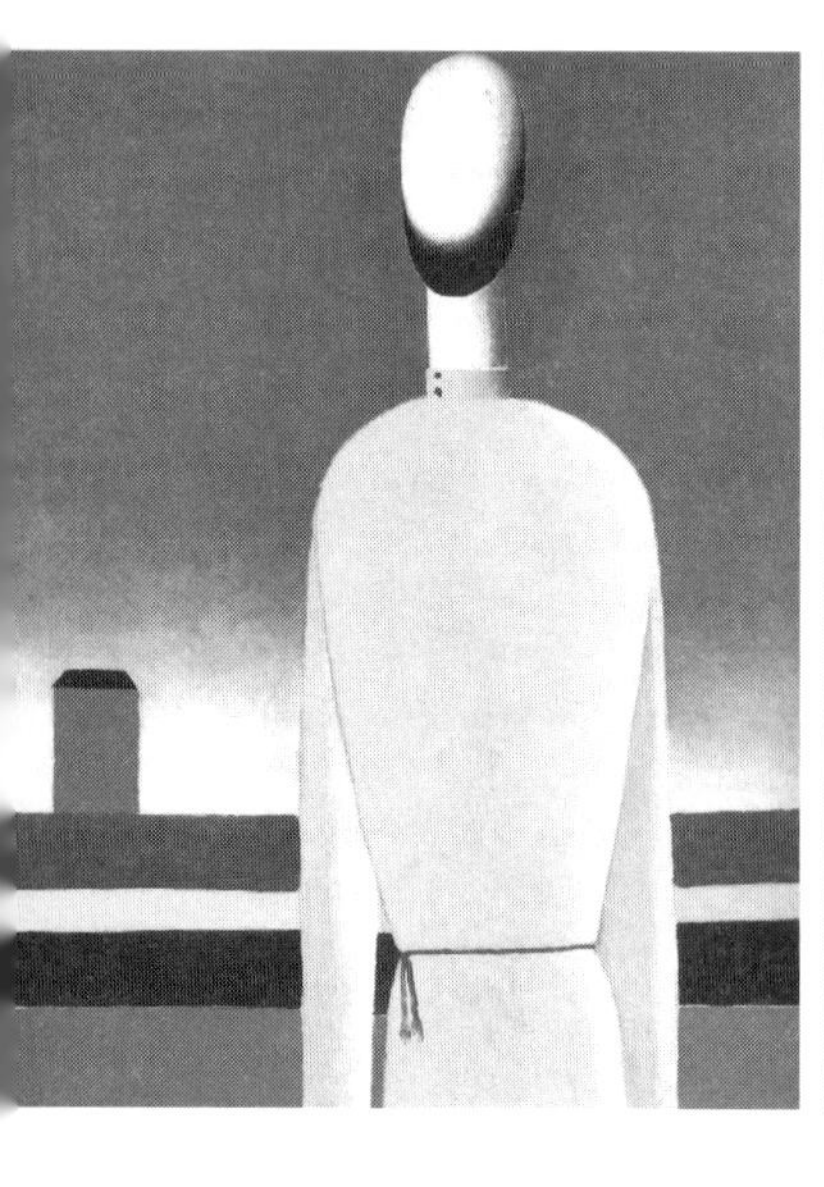

うこともあった。そしてロシア・アヴァンギャルド作品の価値は落ちた。

社会主義リアリズム

社会主義リアリズム路線が本決まりになると、前出の、教育に携わっていたマレーヴィチは、表現への圧迫に苦慮し、顔を黒く塗りつぶしたり、のっぺらぼうや、視線をはずした絵ばかり描くようになった（上図）。

プロパガンダのコピーライターとしてずっと活躍してきた、ロシアの顔ともいえる詩人のウラジーミル・マヤコフスキーは、女性問題も絡んで自殺する（謀殺説もある）。

上右から）マレーヴィチ〈黒い顔の農婦〉1930 ごろ。〈複雑な予感（黄色のシャツを着たトルソ）〉1930 ごろ。〈自画像〉1933。〈黒い四角形〉にこだわっているためか、右手は四角形を象っている。
左ページ下）マヤコフスキー追悼の号外、『リテラトゥールナヤ・ガゼータ＋コムソモーリスカヤ・プラウダ（文学新聞＋コムソモールの真実）』1930 年 4 月 17 日発行。ロトチェンコ撮影のマヤコフスキーの生前の写真が大きく扱われている。

プロパガンダ・ポスターなどのデザインで、スターリンのイメージづくりに多大な貢献をしたグスタフ・クルーツィスは、スターリンが側近だろうとなんだろうと殺し続けた大粛清時代、民族主義的陰謀に荷担したというい いがかりで、銃殺された。

そんな苦難のなかで、ロトチェンコとリシツキーは、写真とデザインに活路を見出した。ちょうどフォト・モンタージュなど、写真の重要性が増大しはじめていた時期である。写真は社会主義リアリズムに則っている、というわけだ。その背景には、

ЛИТЕРАТУРНАЯ ГАЗЕТА

ЭКСТРЕННЫЙ ВЫПУСК — 17 апреля 1930 г.

ДОЛЖНЫ ЗНАТЬ 150.000.000

ПУТЬ МАЯКОВСКОГО

КОМСОМОЛЬСКАЯ ПРАВДА

МИРОВОЙ ПРОЛЕТАРИАТ НЕ ЗАБУДЕТ СВОЕГО ПОЭТА

МЕЖДУНАРОДНОЕ БЮРО РЕВОЛЮЦИОННОЙ ЛИТЕРАТУРЫ.

ЧТО СЛУЧИЛОСЬ

О ДРУГЕ

上右）クルーツィスのデザインによる「偉大な計画を実行せよ」ポスター、1930。
上左）『建設のソ連邦』に掲載された、重工業の発展を示すようなリシツキーによるフォトモンタージュ、1935。

ロトチェンコは、雑誌掲載のために、社会主義リアリズムに則った、大量生産工場のクラッチを撮影、1929。

網版による写真の印刷技術の向上もあった。

リシツキーと『FRONT』

ソ連では、第一次五ヶ年計画の成果を誇示するためにプロパガンダ・グラフ誌『建設のソ連邦』を一九三〇年に創刊した。ロトチェンコとリシツキーは、そのグラフ誌のデザイナーとして活躍した。写真とフォト・モンタージュが重要となるグラフ誌ならではである。

彼らは、それまで行っていた抽象表現を基軸としたアート活動や、革命がもたらすと期待されたユートピアへの夢を封印した。「古いものでも、新しいものでもなく、必要なもののため」の、プロパガンダ・デザインに徹した。ここで評価を得られなかったら、つらい晩年が待ち受けているかもしれないからだ。しかもリシツキーは肺結核という病いも抱えていた。

そして彼らは、デザイナーとして生き延びられた。それればかりか、プロパガンダ・グラフ誌におけるデザイン力で高い評価も得た。そのひとつが、浮世絵的構図などを使ったメリハリのあるリシツキーの表現である。

右）ロトチェンコのデザインによる、『建設のソ連邦』1935年12月号所収、上下に折り畳まれたページを開けるとパラシュートが広がる。
下）リシツキーのデザインによる、『建設のソ連邦』1937年9・12月合併号所収のフォト・モンタージュ。

上）リシツキーのデザインによる、『建設のソ連邦』1937年1月号所収の、前景の2本の大砲によって迫力がでた写真。
下）リシツキーの迫力あるデザインを彷彿とさせる、『FRONT』1・2合併号（創刊号、1942）の見開きページ。

たとえば、軍艦の大砲が大きく前景に陣取り、その隙間から軍艦の甲板を見る、というクロースアップを使った構図（一九三七）。これによって迫力ある誌面が完成した（前ページ上）。

この構図は、軍国日本のプロパガンダ・グラフ誌『FRONT』にも見られる。『FRONT』は、もともと『建設のソ連邦』のようなグラフ誌をつくろうとしてはじまったので、デザインにその影響が見られるのは当然だ。判型もあえて『建設のソ連邦』と同じ（A3）にしたところなど、その参照具合は半端ではない。『FRONT』の創刊号（一九四二）のなかに、巨大な二本の大砲を前景に、その向こうに小さく連合艦隊が見える写真がある。ちょうどリシツキー版における寄り引きをより極端にしたトリミング。リシツキー版をよく研究し、それを超えようとしている意気込みを感じる。この写真によって雄大な連合艦隊のイメージが立ち上がった（前ページ下）。これは、『FRONT』のデザインを担当した原弘さんたちが、リシツキーのデザインを通して、浮世絵的構図を逆輸入したことになる。

こうしたリシツキーらのトリミングは極めて映画的な表現ともいえる。寄り引きが同居した画面は写真と同様映画にも迫力を与えた。

中景のない表現

ここで、『FRONT』の写真や、リシツキーの見本となった例の浮世絵的構図のあり方をもう一度みてみよう。

木村重信さんの『東洋のかたち』によれば、前景に何もないよくあるトリミングでは、全体の印象は、ひと目で把握できる。ところが、このような、前に大きく張りだした前景（近景）と小さい後景（遠景）がセットとなったトリミングは動きを感じさせる、という。

木村さんは、クロースアップされた前景を把握する事情について語る。

部分から部分へと、眼を動かさねばならない。すなわち眼によって触れるのであり、その意味でこの場合の全体印象は、純粋な視覚印象と眼を動かすことによって得られた運動印象から合成されている。（木村、前掲書）

まあ、そこまで激しく動感を感じるかはともかく、この構図には、シャープさも加わる。

ヨーロッパ的表現の特徴は、遠景、中景、近景という具合に徐々にこちらに接近してくること。ところが浮世絵的構図では、中景をカットし、クローズアップされた近景と遠景の対比で描く。遠景と近景の大きさの落差が激しく、よって全体にメリハリがもたらされ、シャープな印象となる。

これを五感にたとえてみると、五感の序列は、視覚・聴覚・嗅覚・触覚・味覚の順に並べられる。遠方から徐々に手元にまでやってきて、最後は口中に入る、というイメージである。

すると、この近景・遠景表現は、視覚のあとの聴覚・嗅覚をすっとばして触覚・味覚にいたる速度感に似ている。見た途端に、心の準備ができる前に触り味わう、あるいは、触り味わってから視る。どちらにせよ、かなり危ない行為だ。また、「余」でも触れているように、中景のないことによって、中景がもたらすはずの立体感も失われる。

たとえば、「ダブルトーン」という印刷用語があるが、モノクロ写真を印刷するとき、黒色を補完するためにグレーを一色加えた二色刷りで写真を印刷することをいう。

このときの製版方法は、黒色の版を「硬調」、つまり、ハイコントラストで製版し、グレー版は中間調がでるように「軟調」で製版する。これを合体すると立体的なモノクロ写真になる。中景をカットするのはダブルトーンからグレー版をやめて黒色版だけで表現することにイメージは近い。硬調で製版したハイコントラストのみの写真は、立体感が薄れ、より平面的になる。カラヴァッジョの濃淡を強調した絵画とも通じてくる。

この近景と遠景を対比した構図にはもうひとつ特徴があった。目があちこちに動くことで、複数の視点が生まれる。これはまさに東アジアに通じる点景観、多視点観である。

ところでリシツキーは、このようなデザイン手法をどこで得たのだろうか。

リシツキーと浮世絵的構図

リシツキーは、ドイツに留学するなど、若いときからヨーロッパの息吹を吸いこんでいた。だから、一九世紀末にヨーロッパの画家たちに衝撃を与えた浮世絵のデザインも知っていたのだろう。

直接知らなかったとしても、彼の留学先であるドイツのダルムシュタット工科大学のあったダルムシュタットは、アール・ヌーヴォー（ドイツではユーゲントシュティル＝若者様式と呼ばれた）作品が街中に溢れていたことで知られている。アール・ヌーヴォーの二次元の表現は、一九世紀末のジャポニスム・ブームのなかから生まれた、ともいわれている。

リシツキーには、ベルリンで出版された、マヤコフスキーの詩集『声のために』（一九二三）という「視覚詩（visual poetry）」のデザインがある。

そこでは、さまざまな大きさの活字の清刷りを切り貼りし、文字に極端な大小をつけて視覚的意味が生まれるようにデザインしている。活字だけを使っているので一見平面的に見えるが、建築的な立体感も感じる不思議な絵本である。この強弱のつけ方がのちの近景・遠景表現につながったように思える。

左ページ）大小の活字で構成された、リシツキーのデザインによる、マヤコフスキー詩集『声のために』（1923）の見開き2ページ。

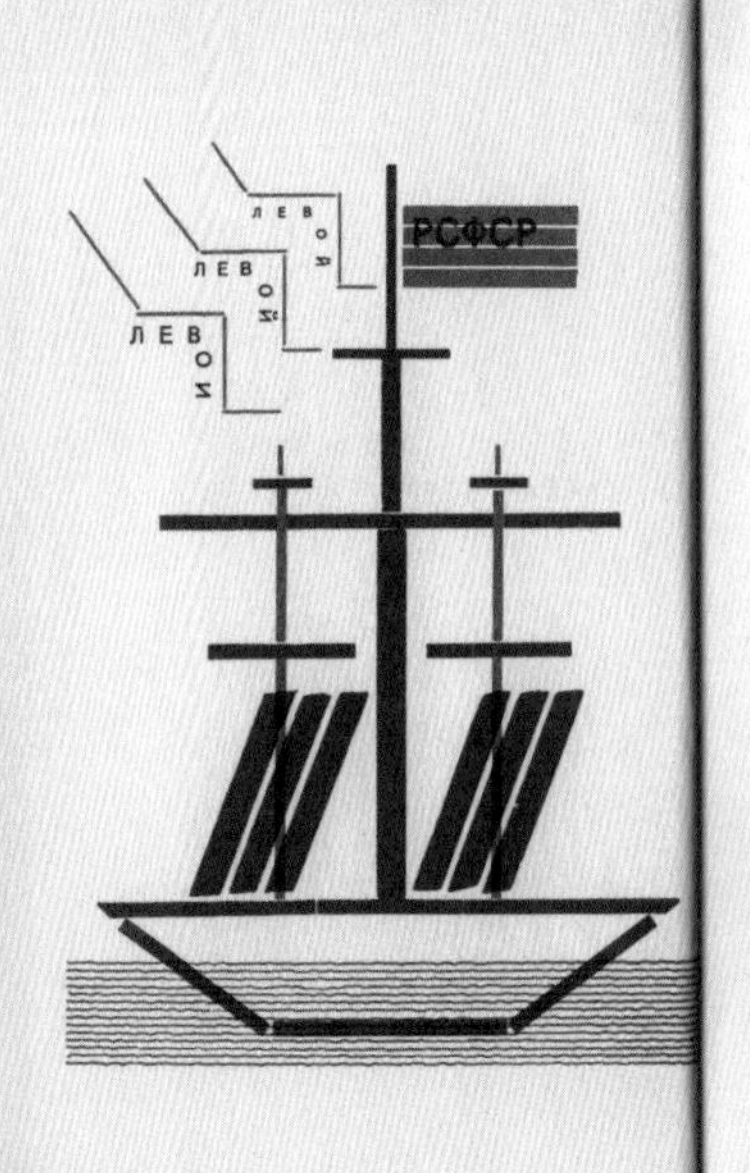

Разворачивайтесь в марше!
Словесной не место кляузе.
Тише, ораторы!

МАРШ
НАШ МАРШ
МОЙ МА!
СВОЛОЧИ
ИНТЕР-НАЦИОНАЛ
АРМИИ ИСКУССТВ
ПРИКАЗ № 2
А ВЫ ?
КАДЕТ
КУМА
ЛЮБОВЬ
К ЛОШАДЯМ
СОЛНЦЕ

Бейте в площади бунтов топот!
Выше гордых голов гряда!
Мы разливом второго потопа
перемоем миров города.

НАШ МАРШ
МОЙ МА!
СВОЛОЧИ
ИНТЕР-НАЦИОНАЛ
АРМИИ ИСКУССТВ
ПРИКАЗ № 2
А ВЫ ?
КАДЕТ
КУМА
ЛЮБОВЬ
К ЛОШАДЯМ
СОЛНЦЕ

「クロースアップ」概念の登場

「クロースアップ」を西洋美術史のなかではじめて使ったのは、レオナルド・ダ・ヴィンチ。彼の手稿はまさに「観察」「クロースアップ」記録集である。当時の画家たちは、もちろんモデルを見て描きはしたが、観察して描いていたわけではない。だから省略や想像は当たり前。ところが、レオナルドは、徹底的なリアリズムを追求した。

　たとえば、こんな話がある。西洋美術のなかで、日本の絵巻物ほど明快な表現ではないが、ふたつのシーンを同一画面に描いた作品がある。これは「異時同図法」といって、のちにピカソが得意とした、複数の顔の向きを同居させた手法の先取りである（下図）。

　ところが、レオナルドがこの表現をリアルではないと否定したせいなのかどうか、その後廃（すた）れた。画家の特質は、

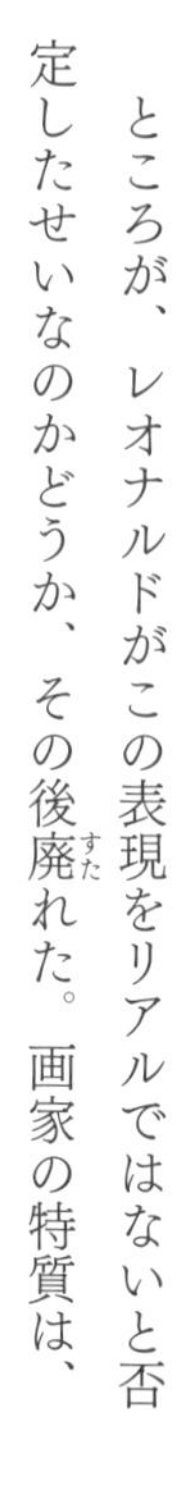

イマジネーションよりも観察力であることを示したのがレオナルドだった。

しかもレオナルドは、観察をするとき、カメラ・オブスクラ（暗箱カメラ）を使っていたらしい。おそらくカメラ・オブスクラを使って下書きをしたのはレオナルドが最初だろう。

そのカメラ・オブスクラの使い方は、部屋のように大きな暗室に空いた穴から、外の像が暗室の壁に映るのをトレースする。穴にはレンズがはめ込まれる場合もある。穴ではなく、大きな開口部でも外の像は壁に映るので、使い勝手は意外によかったのかもしれない。

カメラ・オブスクラを使うことのメリットは、リュートなど

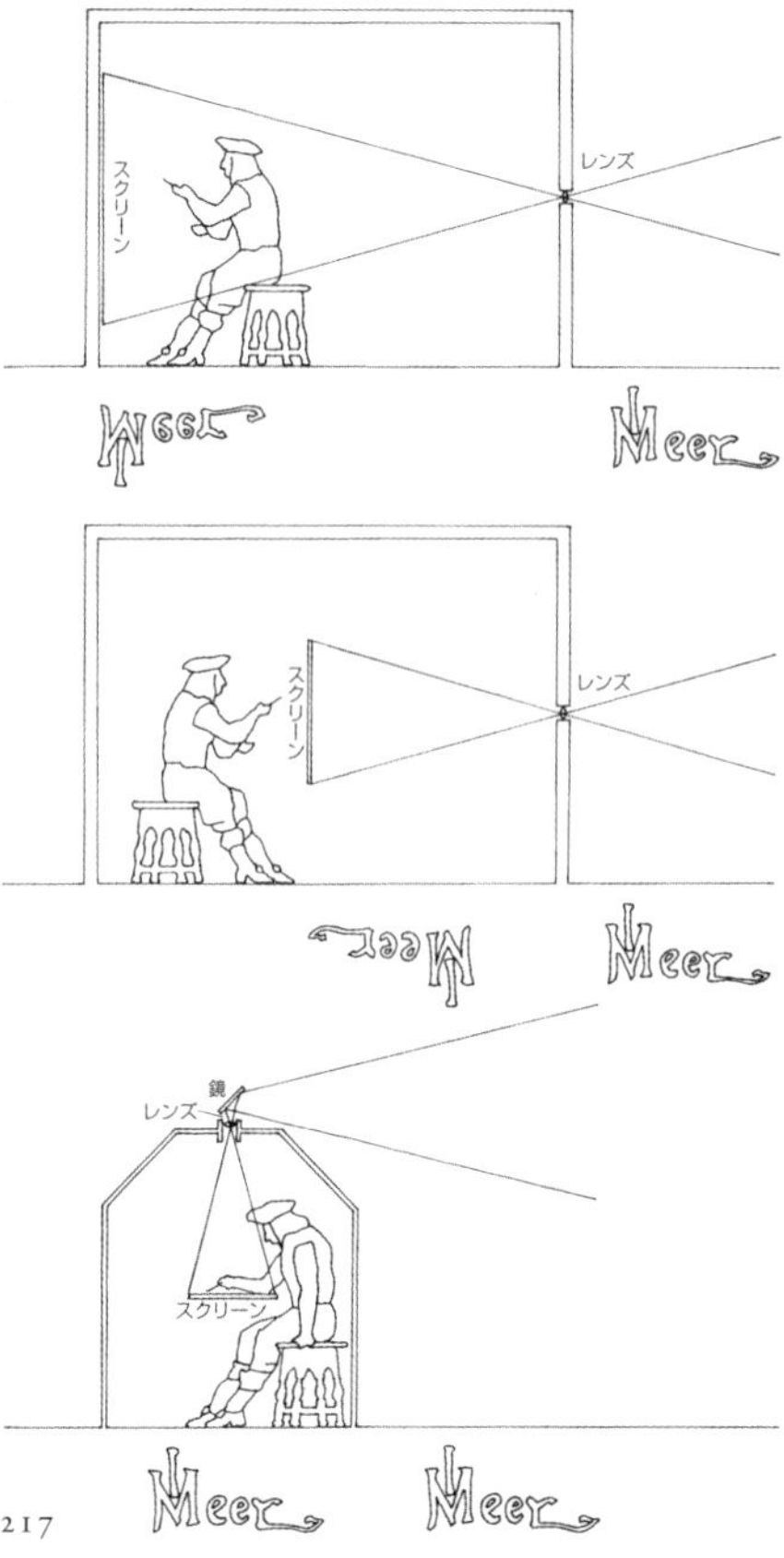

右ページ右）オーニソガラム、キンポウゲやアネモネなどの草花をスケッチしたレオナルド・ダ・ヴィンチ、手稿より、1505 ～ 07ごろ。
右ページ左）縞柄の人物が手前と右奥の２ヵ所に描かれている。ティツィアーノの「異時同図法」による〈嫉妬深い夫の奇跡〉1511、部分。
左）部屋とテント（下図）のカメラ・オブスクラ模式図。サインはフェルメール。上の像は、上下も左右も逆になる。中は上下逆だが左右は反転しない。下は上下も左右も逆転しない。

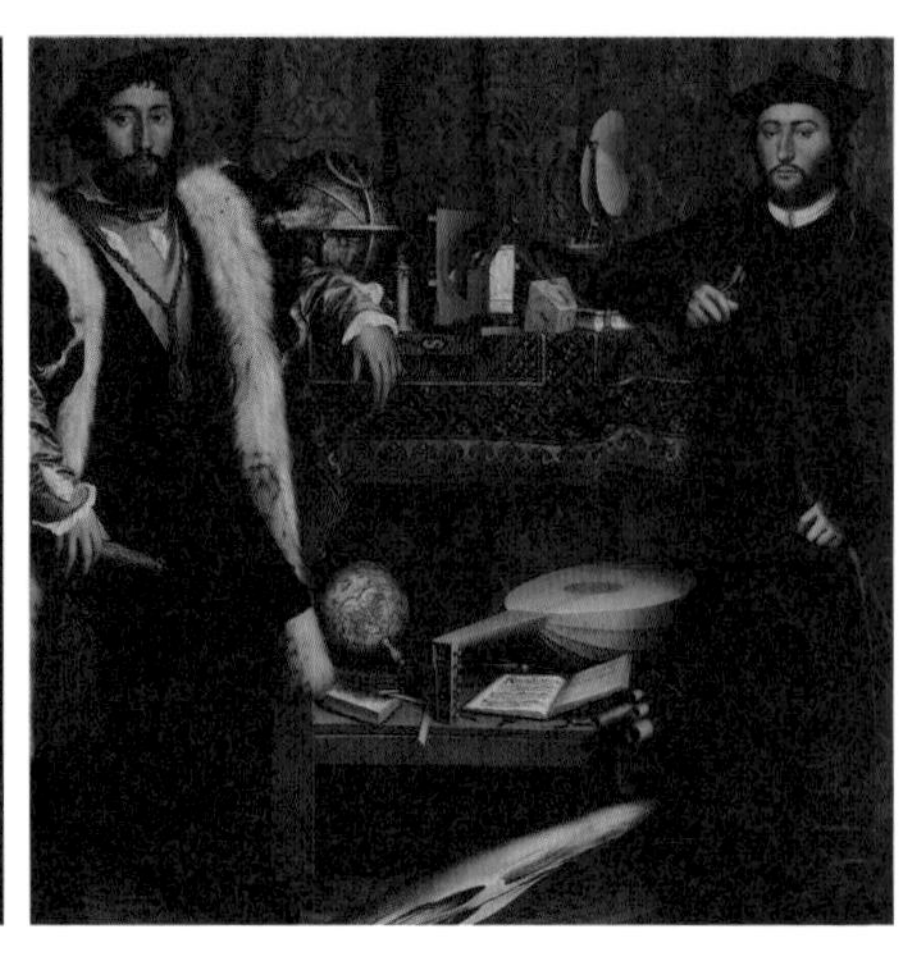

を微妙な角度で持つ形も簡単に精確にデッサンできる（上図右）、ということだが、パーツごとに詳細に下書きをしてあとで合体し、全体を描くこともできる。これはまさに多視点、つまり疑似点景的創作法に思える。

パーツごとに描くということは、ディテールを詳細に描けるということでもある。実際、かつては省略していたような模様も描くようになり、カメラ・オブスクラ使用前と後では、衣服の模様の細かさの質がまったく違っていった（上図左）。

ただし、パーツを集めて合体したとき、全体のバランスが狂うこともある。顔の大きさに比べて異常に肩幅が狭い、身体が一

右）リュートも含めてさまざまな小物をカメラ・オブスクラなどを使って描いた印象が強いハンス・ホルバイン〈大使たち〉1553、部分。
左）カメラ・オブスクラを使っていたと覚しきアーニョロ・ブロンズィーノ〈エレオノーラ・ディ・トレドとその息子〉1545 ごろ。

〇頭身どころじゃないとか、その逆など。

画家のデイヴィッド・ホックニーの研究によると、一六世紀末あたりから左利きの人物の絵が増えたのはカメラ・オブスクラを使って描いたからなのでは、という（『秘密の知識』）。カメラ・オブスクラを使うと像の左右が逆になるからだ。

そして、レオナルドの試みから約半世紀後、ほかの画家たちもカメラ・オブスクラを使いはじめた。そのまた半世紀後には、顕微鏡、望遠鏡も発明された。「観察」という概念がこれらの道具の登場によってよりリアリティを増し、「クロースアップ」は身近になった。

　ちなみに、顕微鏡、望遠鏡の発明を促したのは、ルネサンスで本

10頭身はあろうかと思われるアンソニー・ヴァン・ダイク〈ヘンリエッタ・マリアと小人ジェフリー・ハドソン〉1633。

が大量生産されるようになったことがきっかけのひとつといわれている。

みなが本を手軽に読めるようになったことで、「遠視」の存在に気づいた（近視の登場は本をより多く読むようになってから）。本の文字がよく読めない人々はメガネ屋に殺到した。メガネ屋の隆盛はレンズの性能アップにつながった。メガネはレンズが横に並んでいる。そこで、そのレンズを前後に並べたらどうなるのだろう、というセレンディピティ的発想がオランダのレンズ職人のなかから生まれた（次に述べるフェルメールの国）。これが顕微鏡、望遠鏡発明につながった。

フェルメールの近景表現

ヨハネス・フェルメールもカメラ・オブスクラを下書きに使っていたといわれている（だからといって絵の価値は減じないが）。ディテールの細かさはたしかに群を抜いている。カメラ・オブスクラを使ったと覚しき〈デルフト眺望〉（一六六〇〜六一ごろ）は、その精細さからイギリスの美術史家、ケネス・クラークが、「カラー写真にもっとも近づいた絵画」（スヴェトラーナ・アルパース『描写の芸術』）といったとされる。

近景に大きな男の後ろ姿が立ちはだかる〈士官と笑う女〉（一六五八ごろ）の人物

左ページ上）かなり精細に描かれたフェルメール〈デルフト眺望〉1660 〜 61 ごろ。

左ページ下）フェルメール〈士官と笑う女〉1658 ごろ。

の比率を測った研究者は「写真的比率」だとして、これがカメラ・オブスクラを使ったことを示唆していると述べている（アルパース、前掲書）。

そのフェルメールには、手前にカーテンやドア、人の背中などを持ってきて、その背後に絵のテーマとなる対象を描くという作品がいくつかある。

それらの絵では、手前とそれ以外、というふうに明らかにふたつのシーンに分けられているように見える。本稿で述べている浮世絵的構図の近景と遠景にあたる。

前述の〈士官と笑う女〉（前ページ）、ドアの隙間からリュートを弾く女性を見る〈恋文〉（一六六九〜七〇ごろ）、カーテンごしに女性を見る〈窓辺で手紙を読む女〉（一六五九ごろ）、カーテンと絵描きの後ろ姿の向こうに本を持つ女性が描かれた〈絵画芸術〉（一六六六〜六八）、近景にテーブルのある〈音楽の稽古〉（一六六二〜六五ごろ）など。〈地理学者〉（一六六九）も、手前にカーテンやテーブルにかけたテーブル・クロスだか毛布みたいなものを置いてあり、〈ヴァージナルの前に立つ女〉（一六七〇〜七二ごろ）も手前に椅子がある。

これらの絵は、中景が省略された近景と遠景で構成されているといってもよさ

左ページ、すべてフェルメール作品。
上右）〈恋文〉1669 〜 70 ごろ。上左）〈窓辺で手紙を読む女〉1659 ごろ。
中右）〈絵画芸術〉1666 〜 68。中左）〈音楽の稽古〉1662 〜 65 ごろ。
下右）〈地理学者〉1669。下左）〈ヴァージナルの前に立つ女〉1670 〜 72 ごろ。

そうだ。まさに浮世絵的構図である。

また、〈恋文〉〈絵画芸術〉〈音楽の稽古〉の床の市松模様は、その中景を補う役割が与えられているに違いない。フェルメールのスタジオの床が市松模様だったということもあるかもしれないが。

フェルメールは、時代的に浮世絵との関連はなかったが、この構図のメリハリ感は、その後、一九世紀末のジャポニスム・ブームが興るまで、引き継がれなかった。

コラージュ的構図

「余」のところでも述べたが、近景と遠景を使った構図はまさに舞台で使われる「書き割り」そのもの。カメラ・オブスクラを使ってパーツを描き、それを合成、いい方を変えればコラージュすれば、各々が独立した「書き割り」となる。

コラージュは、もともと異化効果、つまり、ありえないものが同居することでインパクトを与え、メリハリをつけるための簡便な手法でもあった。

パブロ・ピカソがパピエ・コレ（コラージュ）をはじめたのは、キュビスムの限界、つまり、キュビスムの同志、ジョルジュ・ブラックとの作品の違いが不明瞭になってきたからだった。加えて抽象表現における「意味」の喪失も表現の転換を迫られた要因のひとつ。

そのために、意味の断片を絵画に入れ込むことをはじめた。これがパピエ・コレ。のちのコラージュである。

コラージュによる、画面に突然入り込む文字の断片にピカソ自身も（ブラックも）衝撃を受けただろう。コラージュは、前述したように、画面に異次元を持ち込む手法であり、画面には複数の視点が、例の点景的視点が生じる。これがのちのピカソの多視点の顔のルーツになったと考えられる。

ピカソの多視点はアフリカ彫刻などから影響されたといわれているが、もともとピカソはそのヒントをコラージュから得ていたと思われる。

コラージュ作家、岡上淑子（おかのうえとしこ）さんの作品を観ると、比率を

右）ピカソ〈ラチェルバ〉1914。左）ブラック〈ギターを持つ女〉1913。

極端に無視するところに主眼が置かれているように思える。たとえば、窓から巨大な女性が覗くとか、トランプを広げている手が少女の身体とスカートになっていたり、車の屋根に坐る巨大な女性、顔の両サイドから木を生やした女性、部屋から取り払われた壁の向こうには戦闘機の編隊、など。これらは、近景と遠景の落差を強調した表現、本稿のいい方では「書き割り」的表現といえる。

この「書き割り」的表現は、

すべて岡上淑子さんのコラージュ。
右ページ上）〈怠惰な恋人〉1952。右ページ下）〈ダンス〉1951。
上）〈景色〉1956。下右）〈新たなる季節〉1955。下左）〈予感〉1952。

「影」「余」で述べている「切り捨ての美学」とも通じている。琳派などで背景に金箔を貼ることで背景の切り捨てが可能となり、描く対象を際立たせられたことと、中景をカットして近景、遠景ともに目立たせようとすることは、どちらも画面にメリハリを与える手法である。

十章 縦

縦に文章を組む

通常、文章を縦に書くことを「縦書き」と呼ぶが、デザインの世界では、レイアウトの意も含めて「縦組み」と呼ぶ。「横書き」も同様に「横組み」だ。

「縦組み」の黄昏

日本では、明治以来、縦組みと横組みを併用してきたが、インターネットと世界言語となった英語のおかげで、いまや横組みが主流となってしまった。教科書も国語以外すべて横組み。ただし、書籍の世界では、さすがに縦組みが今も主流である。

横組みで前衛的（内容も含めてだとは思うが）だといわれた芥川賞受賞作品もかつてあったが、それ以降、横組みの文芸作品が増えていないところをみると、文芸書での横組みはまだまだ例外なのだろう。

縦組みのほうが読みやすい、という感じを抱いて

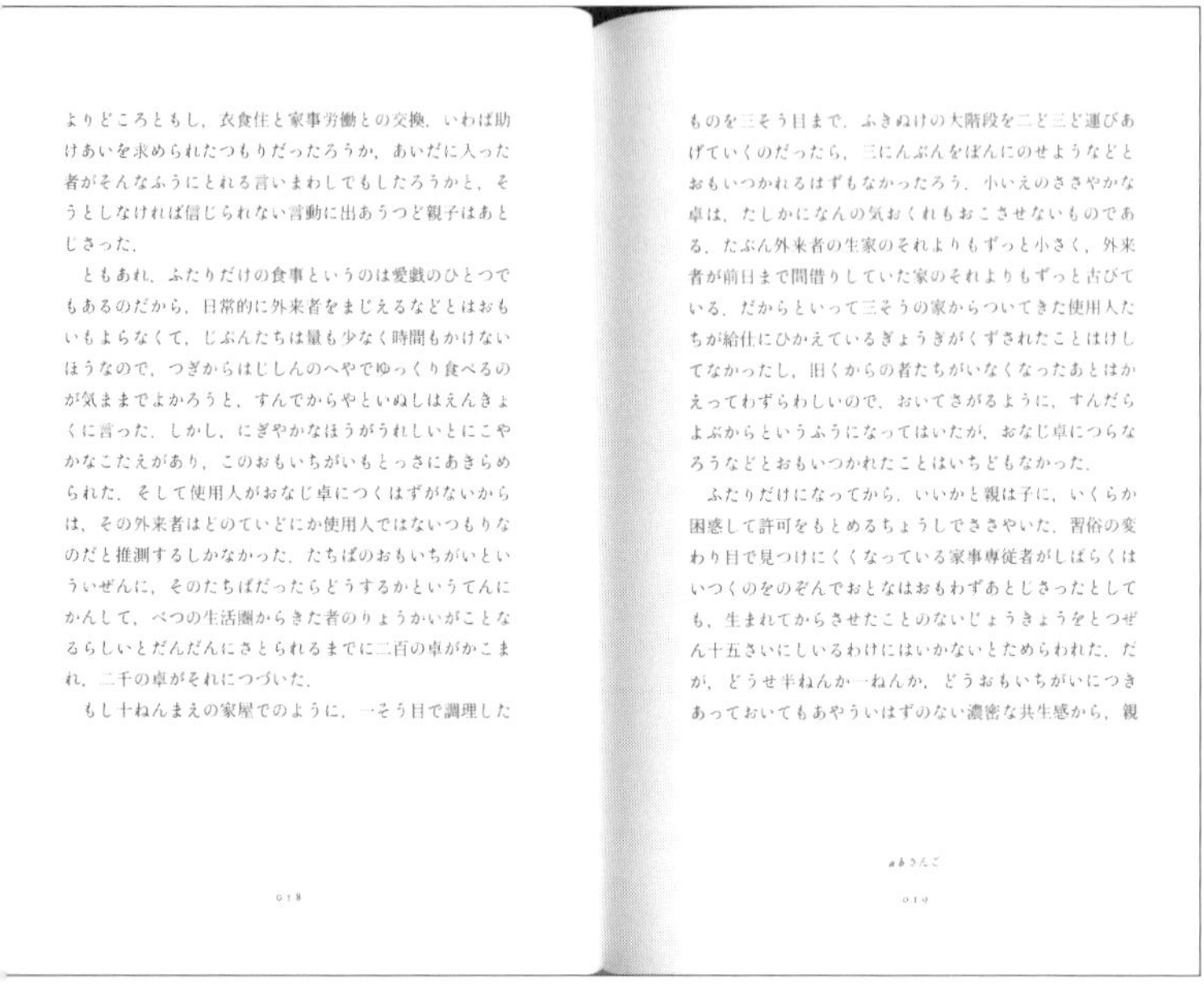

よりどころともし，衣食住と家事労働との交換，いわば助けあいを求められたつもりだったろうか，あいだに入った者がそんなふうにとれる言いまわしでもしたろうかと，そうとしなければ信じられない言動に出あうつど親子はあとじさった．

ともあれ，ふたりだけの食事というのは愛戯のひとつでもあるのだから，日常的に外来者をまじえるなどとはおもいもよらなくて，じぶんたちは量も少なく時間もかけないほうなので，つぎからはじしんのへやでゆっくり食べるのが気ままでよかろうと，すんでからやといぬしはえんきょくに言った．しかし，にぎやかなほうがうれしいとにこやかなこたえがあり，このおもいちがいもとっさにあきらめられた．そして使用人がおなじ卓につくはずがないからは，その外来者はどのていどにか使用人ではないつもりなのだと推測するしかなかった．たちばのおもいちがいというぜんに，そのたちばだったらどうするかというてんにかんして，べつの生活圏からきた者のりょうかいがことなるらしいとだんだんにさとられるまでに二百の卓がかこまれ，二千の卓がそれにつづいた．

もし十ねんまえの家屋でのように，一そう目で調理した

018

ものを三そう目まで，ふきぬけの大階段を二ど三ど運びあげていくのだったら，三にんぶんをぼんにのせようなどとおもいつかれるはずもなかったろう．小いえのささやかな卓は，たしかになんの気おくれもおこさせないものである．たぶん外来者の生家のそれよりもずっと小さく，外来者が前日まで間借りしていた家のそれよりもずっと古びている．だからといって三そうの家からついてきた使用人たちが給仕にひかえているぎょうぎがくずされたことはけしてなかったし，旧くからの者たちがいなくなったあとはかえってわずらわしいので，おいてさがるように，すんだらよぶからというふうになってはいたが，おなじ卓につらなろうなどとおもいつかれたことはいちどもなかった．

ふたりだけになってから，いいかと親は子に，いくらか困惑して許可をもとめるちょうしでささやいた．習俗の変わり目で見つけにくくなっている家事専従者がしばらくはいつくのをのぞんでおとなはおもわずあとじさったとしても，生まれてからさせたことのないじょうきょうをとつぜん十五さいにしいるわけにはいかないとためらわれた．だが，どうせ半ねんか一ねんか，どうおもいちがいにつきあっておいてもあやういはずのない濃密な共生感から，親

abさんご

019

いる人は多い。この流れはそう簡単には変えられないと思うが、インターネットで発表される小説も論文もほぼ横組み。SNSのLINEのような会話だけの横組みの小説もネットではあらわれているくらいだから、いずれ横組みに縦組みが淘汰されるのではないかという懸念は常につきまとう。

縦組みに郷愁を抱く古い世代に代わって、横組みに慣れた若い世代が社会のインフラを築くようになれば、何十年ぶりかに縦組みの小説が芥川賞候補になりました、というニュースが流れるかもしれない。

書家の石川九楊（きゅうよう）さんは当然縦組み派。石川さんは、縦組みで書くのと横組みで書くのとでは、文章の内容自体が変わってくる、と語る（『縦に書け！』）。文章に向かう緊張感が違う、と。もちろんプロの書き手にとっては、縦でも横でも同じだろうが、ぼくも組み方に合わせて原稿を書いている。

一方、意外とも思えるが、マンガは完全に盤石な縦組みの世界を保っている。いや、縦組みというよりも縦組みの本の開き方である右開きである。もちろん吹きだしも縦組みだ。

海外での日本のマンガの翻訳版は、右開きのフォーマットをそのまま使ってい

右ページ）芥川賞受賞作、黒田夏子さんの『ab さんご』の本文、2013。ひらがなが多く、横組みという以前に読みにくい。

はい、ダンカン様。
やっと曲が完成した。聴いてくれ。
はい、ぜひ聴かせていただきたいのですが……
ん?
何かがこちらに近づいてくるのです。
何か?
おまえの友達でもやって来たんじゃないのか?
数日前のスイスのニュース、お聞きになりましたか?
スイスのニュース?
スイスのモンブランとかいうロボットが、竜巻に巻きこまれて大破したっていう、あれか?
154
竜巻が起きました。
何か……
脅威が……
います。
お…おい、ノース2号!
戻ります。
YOU CALLED, SIR?
I NEED YOU TO LISTEN TO THIS PIECE... I'VE FINALLY FINISHED IT...
I WOULD BE HONORED TO LISTEN, SIR...
BUT NOT JUST NOW...
WHAT?
WHAT'S THE MATTER?
I SENSE SOMETHING COMING THIS WAY, SIR.
WHAT IS IT?
DON'T TELL ME IT'S ONE OF YOUR FRIENDS?
DID YOU HEAR THE NEWS... ABOUT WHAT HAPPENED IN SWITZERLAND A FEW DAYS AGO, SIR?
SWITZER-LAND?
YOU MEAN THE ROBOT, MONT BLANC, WHO WAS CAUGHT IN A TORNADO AND DESTROYED?
154
A SIMILAR TORNADO HAS TOUCHED DOWN A HUNDRED KILOMETERS FROM HERE, SIR.
I SENSE...
...SOMETHING THREAT-ENING...
...AND IT'S FAST APPROACHING
WAIT, NORTH... WHERE ARE YOU GOING?!
I WON'T BE LONG
GACHANG
FWSH

る。一度描かれた、右上から左下に向かう絵の流れを、左上から右下に変更するのは不可能とはいえ、海外版は、右開きのままで言語は横組みというスタイルが当たり前。ただし、翻訳した擬音を絵に組み込むのが大変そうだ。

たしかに右開きは「日本マンガ」の書式である。右開きこそが世界の日本マンガ・マニアのマニア心をくすぐっているのだろう。

漢字をなくそうとする力

いまや世界で縦組みが残っているのは日本と台湾、モンゴルのみとなってしまった。

日本では、明治維新や太平洋戦争敗戦などの転換期に必ず「漢字問題」が発生した。漢字の難しさは日本の近代化を阻む、と。

そして、漢字をやめて「かな」だけにする、ローマ字、英語またはフランス語を公用語にする、などの案がでた。当時は、どの言語になってもおかしくない緊急事態だったが、とりあえず、漢字の略字体を正式な字体として、漢字を廃止するまでの間使うところに落ち着いた。漢字廃止のための一里塚としてである。


右ページ）浦沢直樹×手塚治虫『Pluto 001』（2004）の日本版（上）と英語版（下、2009）との比較。英語版は、日本のコミックと同様右から左に話が進む。オノマトペ部分も英語表現に変えてある。

ところが、漢字廃止派にとって予想外のことだったが、略字化された漢字が当たり前となったせいか、もはや漢字をやめてかな文字やローマ字にする案は完全に歴史に埋もれた。ただし、英語を公用語にする案はこれから何度もでてくるだろう。

戦後の緊急事態のときでも、ローマ字や英語、フランス語は当然横組みだが、漢字を含む日本語の文章の「組み方」は問題とされなかった。

縦組みを廃した中国

漢字をアジア圏に広めた中国も、一九四九年の中華人民共和国建国後、識字率を上げるためには漢字が邪魔だと、アルファベットにしようとした。もちろん、ことはそう簡単ではない。そこで一九五六年、漢字を略字にした簡体字に改め、縦組みを廃して横組みのみとした。共産革命の基本は、過去の一掃（あるいは断罪）にあるから、伝統的な縦組みは、打破の対象のひとつである。

簡体字の簡略の仕方は、日常で使ってきたくずし字（中国語の草体字）にする、漢字の複雑な部分を略する、日本のカタカナのように漢字の一部を取りだす（省画）、発音を形にする、などの方法でつくられた。

省画法による「計」の簡体字（下図）は、もっと省略すれば、ひらがなの「け」になりそうだ。同じ漢字から発想しているので当然似てきてもおかしくない。

漢字の使用不使用で揺れる韓国

ハングルは、一五世紀、漢字を使いこなせない、あるいは、使ってはいけないとされた朝鮮の下々の民衆のために、李氏朝鮮の国王世宗がつくらせた文字。当時は、ひらがなが発明される以前の日本と同じく、漢字が主の時代。ハングルは、当初、諺文（オンモン）と呼ばれていた。朝鮮語自体が中国語と比べて、もともと劣った言語とみなされていたので、それを書きあらわす文字は、女、子どもの文字と卑下されたのだった。

すでに触れたように、日本の「かな」も、当初は女性が使う文字として下に見られていたが、男性も使うようになって存在感を増し、漢字に肉薄するようになった。しかし、ハングルは長いこと漢字と同格にはならなかった。

二〇世紀はじめ、日本による朝鮮併合によって、朝鮮人のナショナリズムが高

簡体字の「計」。

まり、諺文に彼らのアイデンティティを求めるようになった。ここから「ハングル（偉大な文字）」という呼称が生まれた。

そして、日本の敗戦によって日本の植民地支配から解放されると、ハングルをメインとする文字政策がはじまった。漢字は、侵略者の文字として全廃をめざすこととなり、一九六八年に漢字が廃止され、一九七〇年には学校教育から漢字が消えた。ちょうど日本に置き換えて考えれば、漢字を廃して「かな」が表記の中心になったようなものである。民族教育的な面も強かったので、学校教育からは漢字が消えたとはいえ、新聞などは漢字交じりハングル文で、縦組みだった。

そして、一九八七年に民主化し、一九九二年に軍事政権が完全に終わるとともに、漢字なしハングルのみの横組みにシフトした。朝鮮語は、日本語と同じく同音異義語が多い。同じ音で意味がまったく異なる場合もある。漢字があれば一文字ですむところも少し説明的にならざるをえなくなる。

数年前、小学校教育に漢字復活を、という気運がでてきた。ただし、大統領が代わるごとに政策ががらっと変わるお国柄、二〇一八年に政権が代わり、新政権はこの政策を破棄した。

韓国で漢字が復活すれば、縦組みも普通に使われるようになるかもしれない。ハングルは、日本の「かな」と同様、もともと漢字の、天と地の間に人がいる、という「天人地」の思想を受け継いでいるので、縦並びのある文字を持つ。横組みよりもむしろ縦組みと相性がよいはず。

モンゴルでの縦組み

もうひとつ縦組みと横組みを併用している国がモンゴル。といっても、モンゴル文字が縦横両方に使われているのではなく、モンゴル文字は縦組み（読み方は左から右）のみ。

モンゴルは一九二四年に社会主義国に加わり、ソ連の圧力のもと、一九四一年にモンゴル語表記のために、キリル文字のアルファベットを借りて使い、一三世紀

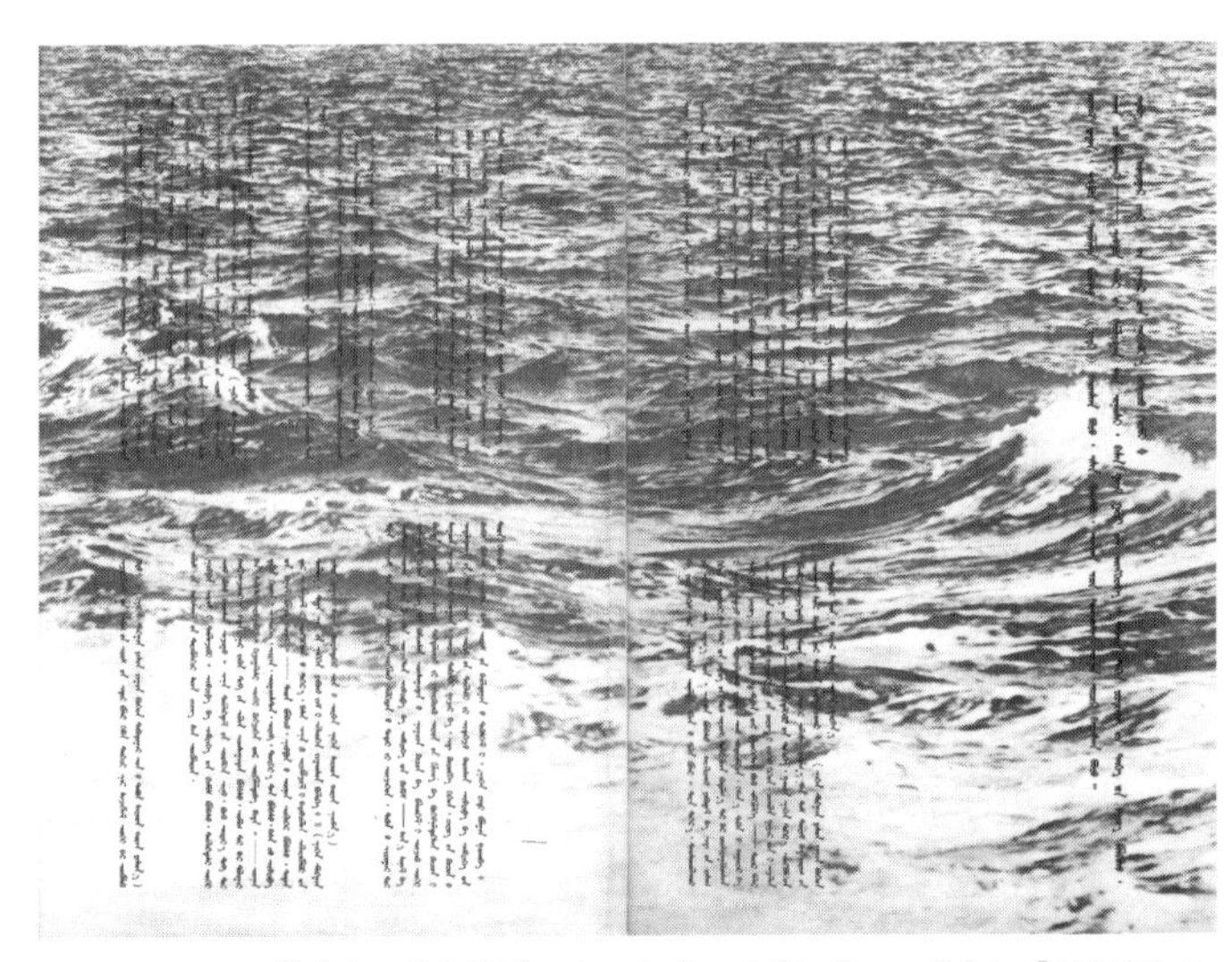

戦時中、日本軍がつくったプロパガンダ・マガジン『FRONT』モンゴル語版の見開き２ページ、1942。モンゴル文字を使っている。

以来使ってきたモンゴル文字を全廃した。したがってそれまでの縦組みからすべて横組みとなった。

しかし、ソ連崩壊とともに社会主義を放棄し、一九九四年に、モンゴル文字を復活させ、キリル文字のアルファベット表記と混在するようになった。

といっても、横組みとしてはまったく表記できないモンゴル文字は今の時代、限りなく不利。これから言語表記の主役になるのは到底無理で、文語的表現に限られるといわれている。ただし、中国の内モンゴル自治区では、モンゴル人のアイデンティティのために、モンゴル文字が主役だそうだ。

順序	アルファベット		名称		音価	
1	А	а	アー	a:	ア	a
2	Б	б	ベー	be:	ブ	b
3	В	в	ヴェー	βe:	ウ	β, w
4	Г	г	ゲー	ge:	グ	g
5	Д	д	デー	de:	ド	d
6	Е	е	イェー	je:	イェ	je, jö
7	Ё	ё	ヨー	jo:	ヨ	jo
8	Ж	ж	ヂェー	dʒe:	ヂ	dʒ
9	З	з	ゼー	dze:	ズ	dz
10	И	и	イー	i:	イ	i
11		й	ハガス・イー	хагас и	イ	j
12	К	к	カー	ka:	ク	k
13	Л	л	エル	el	ル	l
14	М	м	エム	em	ム	m
15	Н	н	エヌ	en	ヌ	n, ŋ
16	О	о	オー	o:	オ	o
17	Ө	ө	オー	ö:	オ	ö
18	П	п	ペー	pe:	プ	p
19	Р	р	エル	er	ル	r
20	С	с	エス	es	ス	s
21	Т	т	テー	te:	ト	t
22	У	у	ウー	u:	ウ	u
23	Ү	ү	ウー	ü:	ウ	ü
24	Ф	ф	エフ	eф	フ	f
25	Х	х	ハー	xa:	ハ	x
26	Ц	ц	ツェー	tse:	ツ	ts
27	Ч	ч	チェー	tʃe:	チ	tʃ
28	Ш	ш	シャー	ʃa:	シュ	ʃ
29	Щ	щ	シチャー	ʃtʃa:	シチ	ʃtʃ
30		ь	ジョールニー・テムデグ	зөөлний тэмдэг	イ, 分離符	j
31	Ы	ы	ウィー	ui:	ウィ	ui:
32		ъ	ハトゥーギーン・テムデグ	хатуугийн тэмдэг	分離符	
33	Э	э	エー	e:	エ	e
34	Ю	ю	ユー	ju:	ユ	ju, jü
35	Я	я	ヤー	ja:	ヤ	ja

キリル文字を使ってつくられたモンゴル語のアルファベット。
表の17と23は、モンゴル語表記のために追加された字母。

モンゴル文字は、もともとアラビア系のソグド文字を祖とする。ソグド文字は、現在のアラビア文字と同じように、右から左へと進む横組みと、それを九〇度左に回転した縦組み（読み方は左から右）を併用していた。そして、ソグド文字がウイグル文字を経てモンゴル文字となった。

ウイグル文字ももともと縦横併用の文字だったが、漢字で書かれた仏典の影響で縦組みだけとなり、それがそのままモンゴル文字に受け継がれた。仏典の縦組みは、宗教的な神聖感をもたらしたのだ。

漢字の「縦」と「横」

ここで試しに、漢字の「縦」「横」の成り立ちを、白川静（しらかわしずか）漢字学に基づき分析してみよう（次ページ）。

「縦」は、「糸」と「従」に分けられる。「従」は、二人の人物が前後に並んでいるさま、「糸」は、糸たば。そこから縦糸をゆるやかに張る意味につながる。意訳すれば、糸束も人も縦組みの行のよう

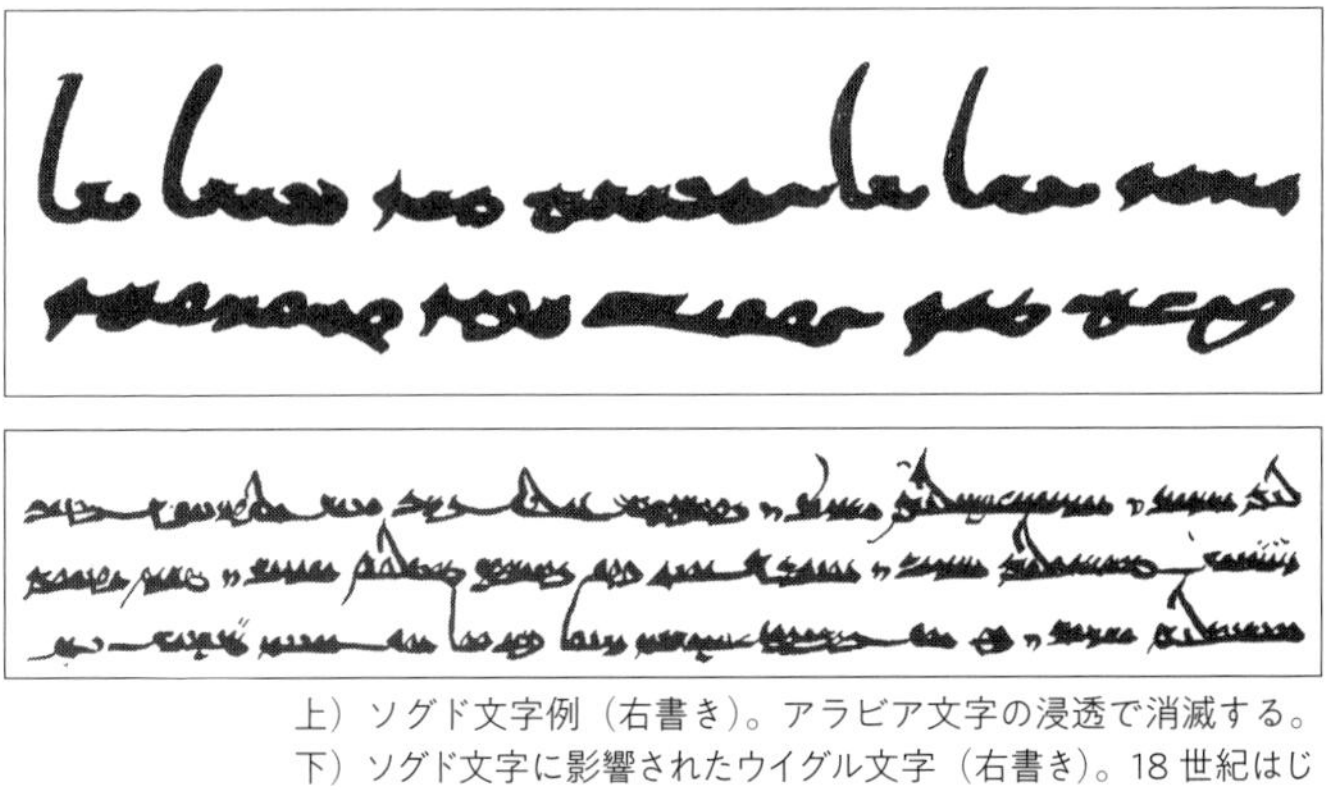

上）ソグド文字例（右書き）。アラビア文字の浸透で消滅する。
下）ソグド文字に影響されたウイグル文字（右書き）。18 世紀はじめまで一部で使用。

に並んでいる。

一方「横」は、「黄」が黄色とともに、中心の意もあるところから（中国の皇帝の名、黄帝などに中心説が窺える）、木を中心に渡す、つまり、門などに閂（かんぬき）を掛けることを意味する。

「縦」は天から地へと向かう重力の流れ、つまり秩序にしたがい、「横」はその重力、秩序に抗い、さまたげるところから、ネガティブな意味がついた。「横断」「横溢」などはニュートラルだが、勝手気ままなさまである「横行」、非業の死である「横死」、身勝手な乱暴である「横暴」、ずぼらな「横着」、横暴な態度の「専横」、物品を正規なルートを経ないで売る「横流し」など散々だ。

一方「縦」の、「放縦」はルールを無視することで、「縦」自体に悪い意味はない。「操縦」もルールを操るで、ニュートラルな意味、「横」も使われている「縦横」となったら自由なさまが浮かぶ。この「縦」と「横」の意味の違いは、「縦」のほうに、天と地を貫くイメージがあるからなのかもしれない。

「縦」の文字を構成している「糸」と「従」。どちらも縦に並んでいるように見える。
左）紀元100年ごろつくられた最古の部首別漢字字典『説文解字』による「糸」。
右）甲骨文による「従」。

「横」を偏重する日本

そんなネガティブなイメージのある「横」だが、日本では逆に「横」文化が発達していることは「奥」で触れた。それを再度簡単に記してみる。

まず横は、奥に延びずに横に広がる仏教寺院、横に置く箸、木目が横になるように並べるお膳、横にスライドする戸、横笛、客が座る上座、など。

一方「縦」は、死者に添える飯（まくら飯）に縦に突き立てる箸などにあるように、異常事態である。たとえば、日本建築のなかで、床の間は最上位の上座とするのが伝統的な作法だが、竿縁（さおぶち）（天井を支える、あるいは装飾のために平行に張り渡す細い棒）や畳が床の間を突き刺す（「床挿し」といい、床の間と直角、つまり縦に配置する）ことは、日本建築の禁忌のひとつ。この床挿しは武家屋敷には必ずあって、切腹の間、ともいわれていたらしい。まさに縦はアブノーマルだ。

床の間と平行になっている竿縁。

床の間と平行になっている畳。

日本建築のルールのひとつ、竿縁と畳は床の間と平行にする。
図は、エドワード・モースによる床の間のある座敷のスケッチ。

いや、アブノーマルというよりも、神聖すぎて畏れ多い「縦」ということになる。神に直結する「縦」は、一瞬のうちに神にも怨霊にもなる、極めて危険な形だったから。

「奥」で触れた、ポルトガル船の船員や、アジアとの交易でもたらされた縦ストライプの流行も、そんな畏れ多い「縦」を易々と乗り越えてやってきた舶来品だったからだろう。何度もいうように日本人は昔から「舶来」に弱かったのだ。

日本人と漢字のファースト・コンタクト

日本人の舶来偏愛の歴史はかなり古い。前漢を滅ぼした新が流通させた銅銭（後漢に滅ぼされる二三年まで流通）が長崎県で出土しているところなどから、日本人が漢字を知ったのは紀元一世紀のはじめごろ（弥生時代中期から後期）といわれている。

当時の感覚からいったら中国は圧倒的な超大国。周辺国を中国化しようとする冊封体制を布いていた。

日本は、当時の中国から見て「日出る処」というずいぶん辺境の地にあった。かなり田舎のイメージだ。そんな田舎に中国から今まで見たこともないような物

純金製の漢委奴国王印。

品とともに漢字もやってきた。中国という国の脅威もあって、この意味不明の記号に日本人は衝撃を受けた。

しかも福岡県で出土した純金製の「漢委奴国王印」が光り輝いていたことで、謎の記号の神聖感は増した。こうして日本での漢字は呪術的記号としてはじまった。その背景には、勝負にならない、という圧倒的な脅威もあったからだ。

その後、多くの渡来人から、漢字を学ぶことで呪術の域を脱したが、同時に漢字は知の象徴としてその権威も増した。

漢字の権威

漢字の権威の拠り所の大きな点は、仏教典が漢字で記されていたからで、その仏教典はひとつの宗教の教典というよりも、最先端の「知」という認識だった。

その最高の知の修得に邁進したのが、七世紀の日本（当時は倭とよばれていた）。日本は、大化の改新（六四五）で中央集権国家への足がかりをつけはじめたころ。周辺国を支配下に置こうとする中国（唐）は、三国が鼎立していた朝鮮半島に侵略の矛先を向けた。

三国のひとつ百済（くだら）と親しかった倭は、援軍要請に応じた。そのときの唐・新羅（しらぎ）連合軍対百済・倭連合軍が白村江（はくそんこう、あるいは、はくすきのえ）で戦った。

この戦いで百済・倭連合軍は敗れ、百済は滅亡。倭は島国だったので、かろうじて領土を獲られずにすんだ。しかし、もはや自立しなければ生き馬の目を抜く侵略者に立ち向かえない、と政治的、そして文化的独立をめざした。

その政治的・文化的独立のための第一歩が東アジアの仏教典の写経だった（石川、前掲書）。「倭」ではなく「日本」と名乗るようになったのもこのころ。

当時の写経は、東アジア全域にまたがる普遍的な大陸の文献を写すことによって、漢語・漢文に精通した官僚知識人を大量に生み出し、かつ全国化をはかっていくところの国家を挙げての識字運動であった。（中略）この飛鳥・奈良時代の写経は、言うまでもなく、現在われわれが考えるような個人の仏教信仰レベルのものではなく、（中略）仏教の力を頼っての国家鎮護祈願に終わるものでもなかった。写された経文は、高級な漢語がぎっしりと詰まった文字の集積物、文書化された東洋の哲学、知識、学問そのものであった。当時の仏教典を宗教の教典と考えるのでは不十分で、当時にあっては世界最高レベルの先端の知識であり学問であった。(石川九楊『漢字の文明 仮名の文化』)

そして、その知の殿堂を支えていたのが縦組みである。

余談だが、白村江の戦いからほぼ一世紀半後のヨーロッパでは、フランク王国のシャルルマーニュ(カール大帝)が、キリスト教を中心とした国づくりを進めるために、過去のキリスト教文献の写本などをはじめさせた(カロリング・ルネサンスとのちに呼ばれた)。シャルルマーニュは、国の発展には大量の聖職者や官僚の育成が急務と考えていたからだ。白村江の戦い後の日本と似ている。

カロリング・ルネサンスでは、それまで大文字しかなかったアルファベットに小文字を加えるなど細かい書式の改良・開発などがあったが、ひとつ重要な革命があった。

現在の本の一般的な形である冊子(コデックス)は、四世紀ごろから広まりはじめたが、やはり主流は巻物だった。ところが、カロリング・ルネサンスで、写本を冊子形態にしたことで広まり、巻物を駆逐したのだった。

縦の由来

中国大陸などにいた遊牧民族は、北に位置する北極星を道しるべとしていた。彼らは、家畜の世話などで夜を徹することも多く、星の観察に長けていた。そして星々は北極星を中心に回っているように見えることに気づいた。そこで、世界の中心は北極星なのだ、と感じた。そこに主君とのアナロジーを見た。ここから北極星を崇拝の対象とする北辰信仰がはじまった。

「北」に輝く北極星は、イメージのなかでどんどん空高くに飛翔しているように見える。「北」にたいする「南」は、対抗上、より低くなければならない。これが「縦」思考。縦に直角をなすのは「横」である。

中国では縦を主とし、「縦横」によって全空間をとらえる思考が発展する。縦横無尽とか、縦横無礙（むげ）などがそれである。（小野瀬順一『日本のかたち縁起』）

ここから、北極星を中心に星々が回転しているように見え、天は「円」と考えるようになり、輝く星以外の暗闇の部分を「方（四角）」とし、「天円地方」につなげた。もちろん、昼間も同じ。天を見上げれば湾曲して見え、いわば「円」だが、地は周囲にさえぎるものなく、無限に広がっている。そこには人為的な区切りが必要になってくる。それが「方」となった。この「天円地方」を貫く軸の間に人がいる。

軸の左右には広漠たる草原がまったく同じ風景として存在していた。ここにシンメトリー（左右対称）という形にも気づく。

神となった「縦組み」

漢字の成り立ちに神への呼びかけがあったとすれば、それは縦組みでなければならなかった。

甲骨文字は、亀の腹甲などに刻まれたところからその名がある。そこには神への質問が刻まれたのでもちろん縦組みだ。

「神に問う」という質問の前文が、中心軸の左右に完全に左右対称の字形で刻まれ、「雨は降るのかどうか？」「穀物は実るかどうか？」「出産は？」「異

亀の腹甲に甲骨文字で刻まれた神への質問文。「○○が神に問う」（○○は質問者）という決まり文句は中心（点線）からの左右各２行で、シンメトリーに刻まれている。

族の侵入の危険は？」などの質問項目が続いた。この甲羅を焼いてできたひび割れが右に広がったのか、左か、などから吉兆を王が判断した。占いのなかでもかなり主観的なものだが、当時は効力を発揮していた。

こうしたことから、シンメトリーの要素の多い漢字が縦組みで綴られるようになり、「縦組み」が神と同義になっていった。石川九楊さんは「縦書き（縦組み）」が宗教のかわりとなっている、と語る。

東アジアでは古代宗教を失うことと引き換えに誕生した漢字（篆書体（てんしょ））により、書字中心の言葉が成立し、それ以来、文字を「縦に」書くことが宗教を代替（だいたい）することになりました。すなわち、天から地に向かって書く縦書きが、「天地神明に誓う」という表現を生み、それが「嘘（うそ）はつかない」「省（かえり）みて恥ずかしくないことをする」「約束を守る」という内実を形成しているのです。西欧においては宗教＝神が担っている機能を東アジアでは縦書きが代行しているのです。（石川九楊『縦に書け！』）

もうひとつ、縦組みの宗教的なイメージを補完するものがあった。「行」である。横に文字を書き連ねるとき、原理的には、粘土板、パピルスなどを足していけば、どこまでも書いていくことができる。巻物のイメージである（といっても横組みも実際は適当なところで改行して段落とし、それを貼り合わせて巻物にした）。

一方縦組みは、どんなに長く書いても早晩限界が訪れ、改行せざるをえなくなる。これが「行」の発生である。

原理的にはどこまでも連ねられる横組みは、いわば秩序を度外視している。一方縦組みは、「行」によって秩序を保っている。これが神につながる。神は秩序を好むからだ。

また、縦組みの書字方向は、甲骨文字の時代（殷）、左から右、右から左の両方が混在し、一定していなかった。だから、どちらが主流になってもおかしくなかった。殷の時代には改行が必要なほどの長文はなかったが、その殷を滅ぼした周には、長文が青銅の鼎（かなえ）（三本の脚がついた壺で、のちに祭

周の大盂鼎（だいうてい）とその内側に刻まれた漢字。

器として使われた）の内側（外側は文様）に刻まれるようになり、長文の書字方向は右から左となった。なぜこの書字方向に収斂したのかはわからないが仮説は立てられる。

古代中国では早くから北極星や北斗七星を崇める北辰信仰があった。したがって、王が北に鎮座し、こちらから見て右側が東、左側が西になる。太陽は東から昇り、西に沈む。やはり太陽が昇る側が優位になり、文章は右から左に進んだ、という説。もうひとつは、周は左優位だったという。すると、北に鎮座する王からみたら左側が東になる、という説などが考えられる。いずれにせよ古代での方位は、今日から想像できないほど重要だったと思われる。

ちなみに、獣骨や青銅器のような固いところに文字を刻むとき、まず縦棒をすべて先に刻み、次に九〇度傾けて横棒を縦に刻んだらしい。文字を刻む書記官は、動物の毛を使った初期の筆もあったが、下書きなしでじかに彫ったという。

伝来した漢字の日本的とらえ方

中国から日本に伝来した北辰信仰は、陰陽道などに形を変え、黒い呪術として残った。「☆」形マークで知られる安倍晴明（あべのせいめい）などの陰陽師だ。

とはいえ、日本は基本的に太陽信仰である。夜を徹することもある遊牧民族と違い、農耕民族の日本人は、昼間働き、夜眠る。しかも、広漠たる草原と違い、日本の風景は山あり、谷ありと変化が激しく、「シンメトリー」という発想が成り立ちにくい地形である。これが、「周」で述べた周辺重視だったり、アシメトリー（左右非対称）の構図につながった。

ともかく、そんな文化（風景）を持つ日本に、権威をまとった漢字が伝来した。前述したように為政者たちは、国家としての体裁を整えるために、この権威を吸収、わがものとすることに汲々とした。

そして、完全に漢字に基づいた官僚社会（男性社会でもある）が成立するとともに、ジワジワと日本的解釈の余地もあらわれた。「かな」の登場である。ほかでも触れているので簡単に述べるが、主に女性たちのなかから生まれたひらがなは、左側から回転しながら左下に流れる字形を基本としている。

一方カタカナは、仏教の学僧たちが、講義ノートの漢文の横に、日本

名古屋にある晴明神社。いたるところに「☆」マークがある。

汝欲何詃婆羅門言文王思見太子故遣我
来迎呼太子今還國耳獵者便觧放辞謝之
實不相知指示其處婆羅門即到太子所太
子遥見婆羅門来甚大歡喜迎為作礼因相
勞問何所従来行道得无疲極何所索乎婆
羅門言我従遠方来舉身皆痛又大飢渇太
子即請婆羅門入坐出菓蓏水漿著其前婆
羅門飲水食菓竟便語太子言我狗留國人
也久聞太子好喜布施名聞十方我大貧窮
欲従太子有所乞匃太子言不與卿有所愛

漢文を日本語の文として読み下すために漢字の左右につけられた白点と呼ばれた点や、カタカナのもととなる省画された漢字。

語の文章になるように、レ点（返り点）やテニヲハ、カッコなどのさまざまな記号を朱・白筆でつけるところからはじまった。

講義なので、速く書かないと追いつかない。まさに速記、スピード命。そこでスピードアップのために漢字をフルに書かず、その一部を使った。省画法だ。これがカタカナに発展した。

カタカナは、右上から左下にむかう「ノ」、左上から右下へと向かう「ト・ミ・ヤ」、左下から右上へと向かう「シ・レ・ン」など対角線上で構成された文字が多い。石川九楊さんは、これを漢字にくさびを打ちこんでいるように見える、と述べていた（石川九楊『日本語とはどういう言語か』）。

こうしたことから、シンメトリーをベースとした、縦に書かれる漢字にたいして、その垂直軸の動きのパワーを回転するひらがなで逸らす、あるいは、カタカナがなす対角線で押しとどめるイメージが浮かぶ。

かくして漢字かな交じり文は、日本を代表する文化となった。しかも、ひらがなもカタカナも漢字をベースとしているので、縦組みに合う字形となっている。相手（漢字）の一方的なパワーを減じつつ、相手に沿うスタイルである。いささか大げさにいえば、相手の力を逸らして和合をめざす、合気道の精神と一脈通じているともいえる。

前出の長谷川櫂さんは、漢書におけるゆるぎない垂直軸、水平軸は、前述のシンメトリーと同じ、広大な中国大陸の平原において成り立つ考え方であり、起伏に富んだ日本の山野には合わない。そこでとりあえず「かな」で水平軸をあいまいにしたと語る。

> 揺るぎない水平と垂直の線に沿って兵馬俑のように整然と漢字の並ぶ中国の書を、日本人ははじめのうちこそ真剣に学んでいたが、やがて中国の書をまねて書くこと、それを眺めることが「堪へ難き事」に思われはじめた。整然とした中国の書は寒くて乾燥した中国にはふさわしくても、蒸し暑い日本では息苦しいものに感じられるからだ。そこで日本の書家は中国の書の水平軸と垂直軸のうち、まず水平軸をとりはずした。水平軸は中国大陸の地平線の象徴だったのだが、この島国の人々は誰もそのような大陸の地平線を見たことがなかったからだ。一方、垂直軸は太陽と人間とを結ぶ垂直線の象徴だが、

この島国でも太陽は昇るので日本人も垂直軸にはなじみがあった。（『和の思想』）

横組みとの出会い

そんな縦組み中心の日本に、幕末から明治にかけて、左から右に書く横組みが海外から大量にやってきた。

それまで、右から左に書く横組みはあったとしても、逆の横組みは日本にはなかった。いや、空海の書の一部に、左から右に書く、横組みがあった（屋名池誠『横書き登場』）。これは、左からの横組みを採用しているインド系の書き方を真似ただけで、後世に引き継がれることはなかった。

その後、日本ではほとんど縦組みですべてが表現された。一部、たとえば、欄間の横長の扁額（へんがく）などには右から左へ横に書かれた。これはいわゆる横組みではなく、一行一字の縦組み（屋名池、前掲書）。あるいは、右から左への書字方向にしたがっただけなのかもしれない。

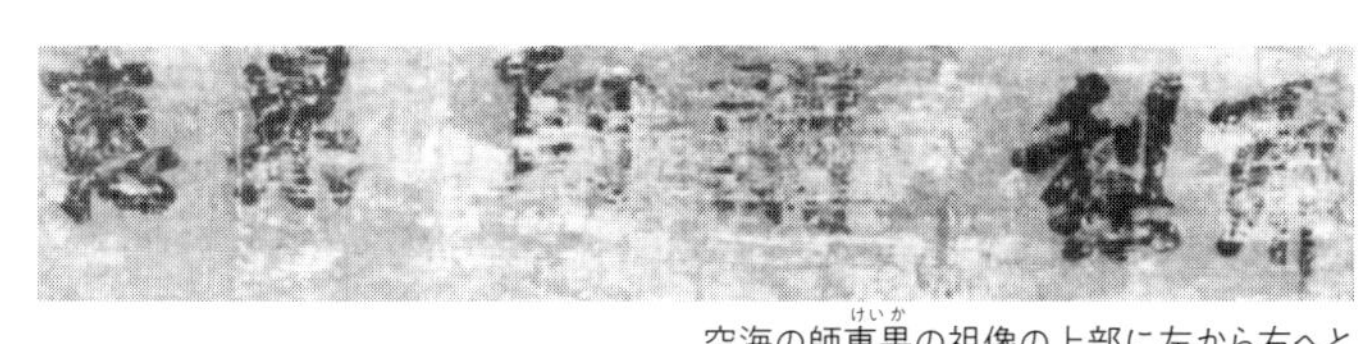

空海の師恵果（けいか）の祖像の上部に左から右へと「恵果阿闍梨耶（あじやりや）」と書かれている空海の書。

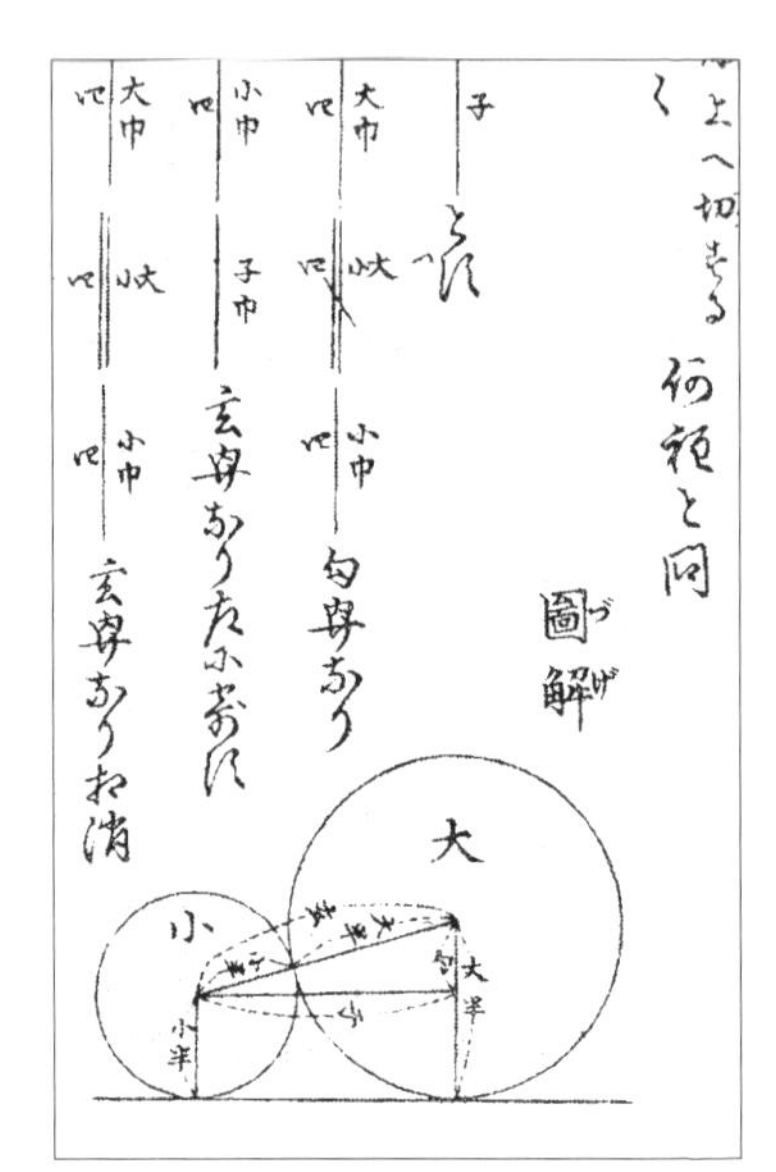

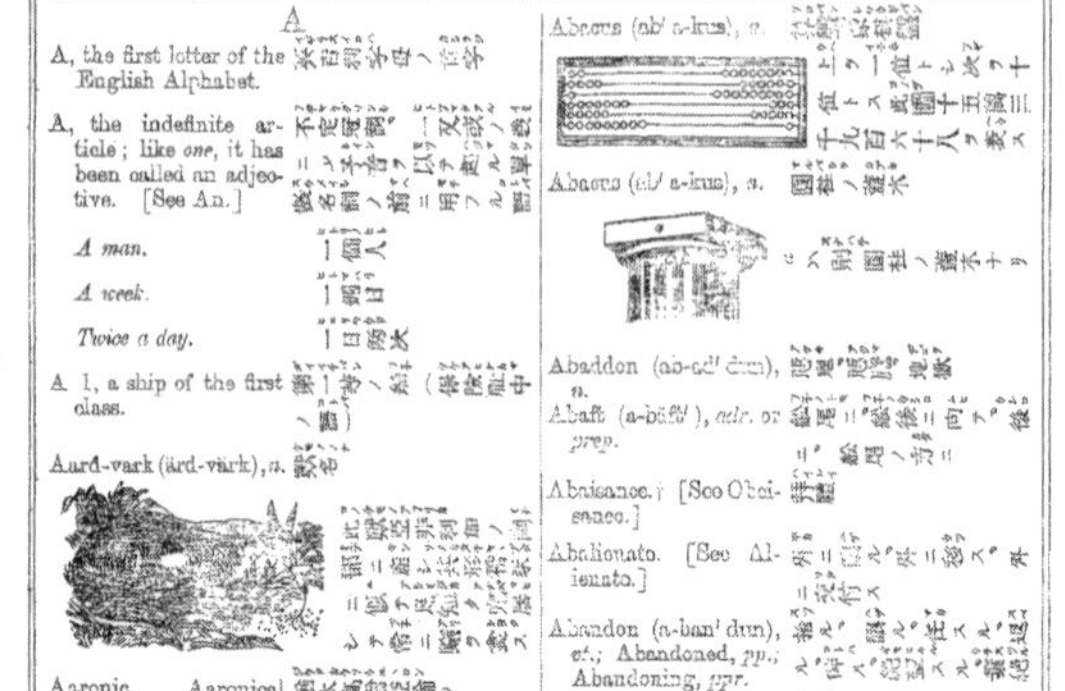
ENGLISH AND JAPANESE

DICTIONARY;

ETYMOLOGICAL, PRONOUNCING AND EXPLANATORY.

A — ABA

A

A, the first letter of the English Alphabet.

A, the indefinite article; like *one*, it has been called an adjective. [See An.]

A man.

A week.

Twice a day.

A 1, a ship of the first class.

Aard-vark (ärd-värk), *n.*

Aaronic, Aaronical (â-ron′ ik, â-ron′ ik-al); *a.*

A. B. (*Artium Baccalaureus.*)

Abacist (ab′ a-sist), *n.*

Aback (a-bak′), *adv.*

Abactor (ab-ak′ tŏr), *n.*

Abacus (ab′ a-kus), *n.*

Abacus (ab′ a-kus), *n.*

Abaddon (ab-ad′ dun), *n.*

Abaft (a-bâft′), *adv.* or *prep.*

Abaisance.† [See Obeisance.]

Abalienate. [See Alienate.]

Abandon (a-ban′ dun), *vt.*; Abandoned, *pp.*; Abandoning, *ppr.*

To abandon one's self.

To abandon a wife.

Abandoned (a-ban′ dund), *a.*

An abandoned fellow.

Abandoner (a-ban′ dun-ĕr), *n.*

Fāte, fär, fat, fall; mē, met, hėr; pīne, pin; nōte, not, mōve; tūbe, tub, bull; oil, pound. ch, chain; j, job; g, go; ng, sing; th, then; th, thin; w, wig; wh, whig; zh, azure; † obsolete.

上右）山本賀前の数学書『大全塵劫記』(1832)のなかの図形問題のページ。図中の下図では、横倒しになった「大半、小半」の縦組み文字が見える。

上左）マテオ・リッチが訳したユークリッド『幾何原本』1607。

下）日本で印刷されたはじめての本格的な辞書、柴田昌吉／子安 峻（編）『附音挿図 英和字彙』1873。和文が左横倒しになっている。

左ページ）

上）書字方向が左から右への欧文の下に右から左への横組みの和文が入っている広告、1876。

下）明治31年（1898）の広告。下のほうに1行2字の縦組みの文章がある。

数学などの理系でも、通常横組みが必要なところは縦組みの横倒しか、一行一字の縦組みを使って、あくまで「縦組み」にこだわった。もちろん、二行以上の横組みはない。その場合は、一行二字の縦組みとなる。

ちなみに中国でも日本と事情はさほど変わらない。一六〇七年刊の、マテオ・リッチが翻訳したユークリッド『幾何原本』も縦組みだ。

そして江戸末期から、横

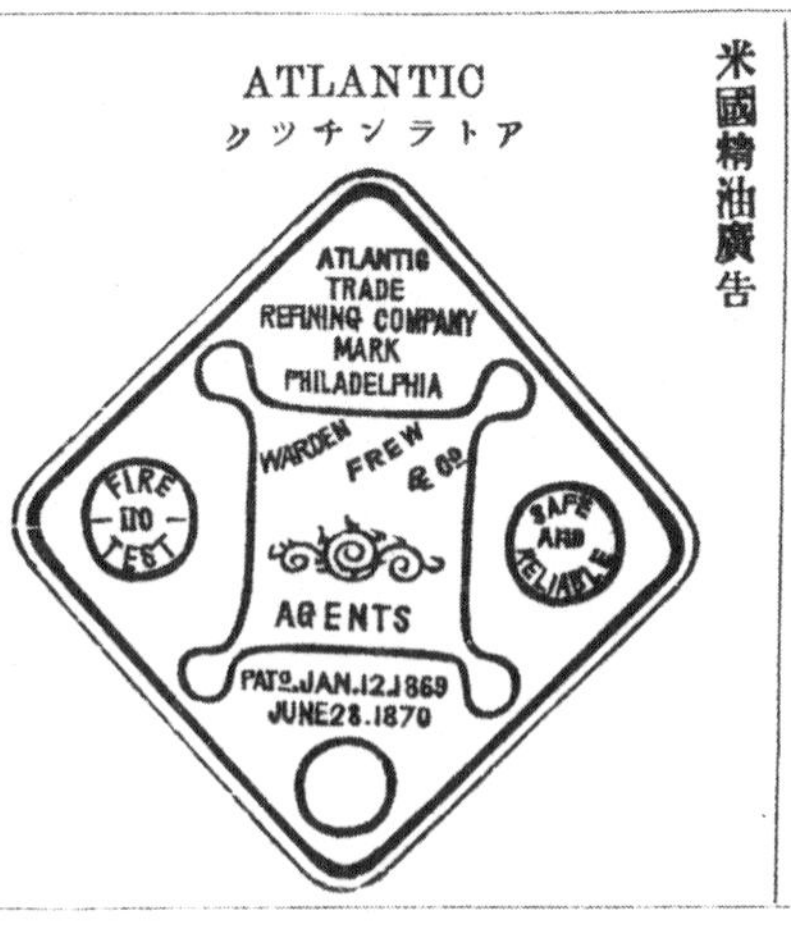

組みの西洋の書物を目にする機会が格段に増えた。横組みは少しモダンにみえた。だが、それでもまだ縦組みにこだわっていた。横組みの英語の辞書でも、日本語の部分は縦組みの横倒し。

欧文の入った広告でも、和文の横組みは右から左へと記される。一行二字の縦組みの例も見られるところから、これはやはり縦組みなのだろう（二五七・二五八ページ）。

そして、右からの横組みは定着する。縦組み社会のなかで、右横組みは書字方向が同じで親和性が高かったからだ（屋名池、前掲書）。

運動を展開せんことを誓議す

だちローレンス卿と三時間にわたる會談を行つたガンジー翁も出席

蛇の目ミシン

◆新日本の傑作品◆
東京・小金井橋前
帝國ミシン株式會社

野村銀行

してゐる、AP記者はアザツト議長が十九日には適用委員會が終了するだらうと語つた旨を報じ、中

天聲人語

上）リード文が右から左への横組みになっている広告、1938。

下）朝日新聞昭和 21 年 5 月 20 日付に掲載された広告。書字方向の異なるものが並ぶ。

ただしこれはもはや一行一字の縦組みではない。右から書く横組みとして自立していく。その証拠に、右横組み時代の最後のほうには、数行の右横組みも登場する。左横組みに慣れた身にとって読みにくさは半端じゃない（右ページ上）。

一方、右から書く横組みが主流とはいえ、欧文と同じ、左から書く横組みは徐々に増え、右横組みと混在するようになる。新聞の同一紙面でも両方の組み方が並んだときもあった（右ページ下）。

左横組みの浸透

一九二〇年には国鉄の切符が、それまでの右横組みから左横組みに統一された。駅名表示・列車時刻表・電話番号簿もあとに続いた。世界で横組みを採用している国は、アラビア語などを除いてすべて左から右。書字方向の混在を解消するには左から右に統一するほうがベターだ、という風潮が生まれてきたのだった。

こうした風潮に異議を唱えた大臣もいた。右横組みは日本古来の伝統なのだ、と主張した。実際の右横組みは江戸末期から明治にかけて多く使われるようになったので一般的になってからまだ六〇年くらいしか経っていない。伝統とは無

江 尻 よ り
由 比 ゆ き
三 等 十 八 錢
通行稅一錢 途中下車一回
通用發行日共二日間

書き方のルールを記した鉄道省の通達にある切符の表現の様式例、1920。

縁である。左横書きは欧米の模倣であり、モダンすぎる、という保守派側からの対比論法による反発である（屋名池、前掲書）。

とはいえ、戦争となると、日本の伝統などとはいってられなくなる。東南アジアに侵攻した日本占領軍は、現地語を使うわけではないが、現地の人びとが慣れている書字方向（左から右への横組み）で日本語を表記せよ、という通達をだしている。

しかし、この命令も一年弱で右翼・保守派の反発により、もとの縦組み＋右横組みに戻された（屋名池、前掲書）。こうした上から目線が信頼を得ることはないし、あまりにも神がかり的で柔軟さに欠けている。こんな軍隊が近代戦を戦い、多く

朝日新聞
昭和二十一年五月二十日
組閣、流産の危機へ
吉田氏は投出し
朝日新聞
マ元帥、聲明を發表
二・一ゼネスト中
共闘、全闘組織を
國鐵・全遞、中止を指
公共の福
内閣改造一應成る
運輸相増田氏、商相石
全教協も指令
私鉄
マ元帥聲明

の人を死なせた罪は重い。

　こんなフラフラした政策は長続きしない。戦時中、小学校の教科書を横組みにするときは左からとする、など、左横組み派が優勢となっていく。

　戦後、アメリカに占領され、英語の文物が溢れていく世情で、右からの横組みはリアリティを失う。まず新聞の欄外の柱の部分が、読売報知新聞では一九四六年初頭から左横組みに変え、毎日新聞も同じ年に、そして朝日新聞も一九四七年元日から追随し、もはや右横組みを主張する場はなくなっていった（ただし本文は縦組みが中心）。

横組みから縦組みへ

　横組みは、紙なりなんなり、文字を書く素材を継ぎ足していけば、横にいくらでも延ばしていくことができる。その点縦組みは、自ずと限界が生じ、

朝日新聞の横組みの組み方の変更は、昭和 22 年（1947）1月1日からはじめた。

上）左からの横組みになる前年の朝日新聞題字付近。欄外の日付の漢数字表記等と、題字下に右横組みが見られる。朝日新聞昭和 21 年 5 月 20 日付。

下）算用数字を使った欄外の右横組みと、まだ漢数字が残る題字下のクレジット。朝日新聞昭和22年2月1日付。

行を改めざるを得なくなる。それが秩序を生む、と述べてきた。これにかんする余談を最後にひとつ触れてこの章を閉じたいと思う。
二〇〇一年に、詩人の福永信（ふくながしん）さんの『アクロバット前夜』が刊行された。
本文は横組みだが、単なる横組みではない。最初（左ページ）の一行目を読んだら二行目にいくのではなく、次のページ（右ページ）の一行目に続く。そしてその先は、そのまた次のページの一行目、という具合に一二一ページまでずっと一行目だけ読み、最初のページの二行目に移る。

アクロバット前夜　福永 信

ストリートノベル大賞第一回受賞作家　福永信　作品集
受賞作「読み終えて」他、六作品収録
リトル・モア
定価：本体1300円＋税

小説の
夢見た〈自由〉が
ここにある
保坂和志
（「推薦文」より）

このように二七行まで六本の作品が改行なしで連なっている（改行のところにはスラッシュが入っている）。読みづらいことこの上ない。右から読む横組みに似たイライラ感に満ちている。前代未聞の組みだが、詩の実験

実際に起こっていた出来事だ。君自身が知っている場面と、君自身
せておくことができる。そして君自身が無防備になったところを、
と回転していた。先を読まれていたのだった。／君の独特なキュッ
ハンカチで額を押さえ続けなければならないのが煩わしかったがし
いの行為にまた悲しい気持ちになって、君の入っているドア側の個
アクロバット前夜　　　これまで、「X君」というのは私のこと
そうというのか？　私はアクビをこらえきれなくなり、あわてて両
いないところで！　さまざまな空想が頭をよぎり始めると、ジッと
った」と言っていた「シートン動物記」を読んでいなかった。リッ
裕美はあわてて首を振った。そして、／「先生って、生徒思いの、
まで、裕美を送ってくれたのだ。／「早乙女さん、そんなことといわ
ないわ。そんなことあるはずがないわ。そんなこと、あるはずない
気味悪く思った。／小林の提案によって、近くの喫茶店に入ること
んせいに、しかられた。しかられても、ごろうは、ずっと、そわそ
ぐに、ぐっすりとねむりこんでしまったのだった。／夜、五郎は目
かった。ふたまた、という言葉を知らないかれは、それがどんな結
て、五郎は電柱のかげから、そっと、前方の様子をうかがった。小
たからだが、小さく見えるのは遠くにいるせいだと思い直し、すぐ
に予習を終えると、サチ子はパジャマをタンスから取り出し（毎週
と階段をのぼりはじめた。三階から聞こえてきたと思ったのに、そ
しっかりと流れ込んでいたのだった。／それは予習を続けていたテ
いたのである。ポケットの袋部分の布地をびろ〜んと引っ張り出し
うなずいた。／若者はレモンスカッシュをゴクリと飲み込むといき
るような音も聞こえるのだった。おそらく本格的に風邪をひき始め
だ。すっかり狼狽しているようだ。／小池　……しょ食事だけげろ
子の真似じゃなかったのか、どうりで似てないわけだ。／——似て
ら読めなかった。まだ習っていない漢字だったからだ。当然、サチ

018

も初めて知る場面とがあるはずだ。そのすべてを把握し、君を始終
ねらうのだ。／僕が目覚めたのは保健室のベッドの中だった。白衣
キュッと廊下をこすりながら歩く音が近づいてきたので僕はあせっ
かたがなかった。僕は君を探しながら足早に廊下を進んだ。痛みは
室を振り返った。個室のドアは開いていた。君は中にいなかった。
だとばかり思っていた。だが「X君」は今日「掃除道具の後片付け
手で口をふさいだ。押さえていた『マイ・ダイアリー』のページが
していられず、その足でリッチャンの家に向かったというわけであ
チャンはそれを「奇妙に」思った。すると「X君」はあきらかにイ
やさしい先生なんですね」／「オイオイ、よせよ」／みるみる顔が
ないでください。ぼくらはもう仲間なんですから」／小林秀雄が悲
わ」／必死にふたりに向かっていった。／「ディカプリオのポスタ
になった。／周囲を取り囲まれるようにして席についた。／そこで
わしていた。とうとう、カメラマンとうちあわせしていたもじゃも
ざめた。母親はビールを飲みながら、「夏美さん、わたしが帰たく
末をもたらすかも、当然、知らなかった。／かれは日々をおう歌し
さな小づか君は、ようち園の時ほど小さくはなかった。今の五郎と
に引っ込めた。根岸も板倉も落下しなかった。青年は寝台に腰を下
月曜と木曜の夜に新しいパジャマと取り替えるのである）、トイレ
の声は反響していてさらに上の階から聞こえていた。四階に行くと
ル男の耳にも、さっきから聞こえていた。サチ子の両親の声だとす
て隅々まで確かめたのだが、何も出てこなかった。まだ全裸姿では
なりゲゴッゲゴゴッと立て続けに咳き込んだ。／——ゲゴッゲゴゴ
ているにちがいなかった。／サチ子は自分の着ている私服（ポート
う。なんてことはないさ。／ケイ子　食事のあとがあるのよ。／小
ないのに、なんでケイ子だと思ったのだ？／——ウーム、じつに残
子の家ではなかった。他の会員の家でもない。バカでかいテレビが

019

としてはありだろう。ただし、読むというよりは、一行単位でつながらない文章を楽しむ、という作品だ（デザインは菊地信義さん）。これは、ジョン・ケージの無音作品〈四分三三秒〉（一九五二）に似たイライラ感に似ているかもしれない。なにしろ、〈四分三三秒〉も聴衆のざわめきなどのノイズも含めた作品だったから。

　オビ文の「小説の夢見た〈自由〉がここにある」は、小説よりも奇矯なレイアウ

右ページ）福永信『アクロバット前夜』カバー、2001。

上）『アクロバット前夜』の本文例。途中のゴシックのところは次の短編のはじまりを示している。

トへの言及のように感じる。

ところが二〇〇九年、今度は同じ内容（実際には、前作で、ページをあわせるために尻切れトンボで終わっていた六作品目に四ページ半ほど加筆、あるいはもともとあった文章を追加し、完結している）の縦組み版が刊行された。

この書名が『アクロバット前夜90°』。前作の横組みを九〇度回転して縦組みにしたという意味。著者の福永さんは現代アートとして詩を見ている人らしく、最初の横組みのときからこの縦組みに変えるまでのアイデアは福永さんの指示ではないかと思う。

とはいえ、横組みのときは、その読みづらさと相まって、文字面を追ってはいるが、内容が頭に入ってこなかった。その読者の反

福永信
アクロバット前夜90°
これが本当に「新しい」文学だった。
ヨコからタテへ――待望の新装版
いま再び〈世界〉に問いかける
未来への希望

く濡れていたのである。野良犬のマーキング行動だろうか？　懐中電灯で四方八方を照らしてみても野良犬が近くにいる気配はなかった。サチ子の母親は足元に注意しながらその場をすこし離れ、今度は懐中電灯で熟したザクロが落ちている根元から照らしてみた。

　木肌の濡れはじめが大人の腰の高さはあった。周囲の葉が夜露とは異なる輝きを放っていた。これはあきらかに立ち小便の跡である。つまりこれで、まちがいなく（よっぽどのことでもないかぎり）、ここにいた人物が男であったとサチ子の母親は確信したのだった。


　しばらくしてようやく落ち着きをみせると、かすれた声で「続けてくれたまえ」とテル男はいった。ケン一は続きを語りだした。

——……そしたら、しばらくして、俺を追い抜いて行く影があったのだ。最初は何げなく目で追っていただけだったのだが、街灯の下をすぎたとき、思わず悲鳴をあげてしまうところだった。その後ろ姿はどう見てもサチ子にソックリだったからだ。その私服の服装の何もかもがね。まちがいなくそれはサチ子の最近のお気に入りの組み合わせだった。つまり俺の今の格好、バミューダパンツにボートネックの

224

三か所の二人

ボーダーTシャツだったということだ（当然テル男君もおなじだと思う）。サチ子が現れたことで、すっかり俺の確信はゆらいでしまった。電話の女（ケイ子？）のセリフが頭の中でくりかえされた。「小池に会いに行ってるのよ」「小池と二人きりよ」……俺はその場に膝をつき、両手をついて倒れ込んでしまった。ショックだったからだ。やっぱり小池と何かあったのだな、そう思ったのだ。俺の足は自然とその後ろ姿を追いはじめていた。その後ろ姿はまもなく、ある一戸建の中に消えてしまった。表札はあったが俺には残念ながら読めなかった。まだ習っていない漢字だったからだ。当然、サチ子の家ではなかった。他の会員の家でもない。バカでかいテレビがあって、ソファーが三つもあった。三つもだ。母親らしき大女がバカでかいテレビでテレビ番組を見ていた。俺が不思議に思ったのは、そのビールを飲んでいる母親はソファーには腰掛けず、ぺたんと床に座っていたことだ。ということは、いったいソファーは何のためにあるのだ？　父親はまだ帰宅していなかった。サチ子とおなじ服装をした人物は二階にいた。驚いたことに（まあ当然かもしれないが）その人物はサチ子ではなかった。サラッとしてウエービーな長髪のよく似合うまだ喉仏の出ていない華奢な男の子だったのだ。俺はようやく、あれはたまたま髪型や私服がサチ子とソックリだっただけだと、結論をだすことができた。だがそれだけ

225

応も含めての詩作品なのかもしれないが、縦組みになって、はじめて作者の世界観が堪能できたことはたしかである。

　ここに図らずも、縦書きは宗教のかかわりだった、と述べた九楊さんのことばのアナロジーを見たような気分になった。


右ページ）福永信『アクロバット前夜』の新装版『アクロバット前夜 90°』カバー、2009。

上）『アクロバット前夜 90°』の縦組みの本文。右ページまんなかあたりの「しばらく〜」以降が、前作に掲載されなかった部分。約４ページ半ほど続く。短編タイトルはトビラページに入り、トビラウラは白、左ページから本文がはじまっている。

おわりに

「玩物喪志（がんぶつそうし）」という四字熟語がある。広辞苑によると「玩物」は「物をもてあそぶこと。また、その物。玩具」とあり、「玩物喪志」となって、「無用の物を愛玩して大切な志を失うこと」とある。いい意味ではない。

その出典は、『書経』。周の武王が、周辺国からの珍しい貢ぎ物に心を奪われ、国政をなおざりにしているのを忠臣が諫（いさ）めたという故事からきている。

北宋の皇帝、徽（き）宗も「玩物喪志」の人だという（石川九楊『九楊先生の文字学入門』）。書画骨董、珍奇な動植物・鉱物の蒐集に明け暮れ、そのために悪政をなし、諫言してくれる忠臣もいず、北宋を滅ぼしてしまったと。散々のいわれようだ。

しかし、「玩物喪志」のうちの「玩物」は、日本人の心性をいい当てているように感じる。

清少納言以来「小さきもの（小さいもの）」を「うつくし（かわいい）」として愛で、それは一方でミニチュア愛を生んだ。

また、「花鳥風月」といい、自然を愛で、家のなかにも自然を呼び込もうと、外の風景を庭に取り込む借景。庭の自然を導くために家と庭をくっきり分けない縁側。自然の絵を描いて、季節によって差し替えたり移動したりした襖、屏風。外光を軟らかくした障子。どれも自然を愛で尽くそうとしている。「余白」も、何も描かれていない、書かれていないところは想像で補え、などかなり贅沢な、あるいは欲深ともいえるほどの充溢感をすべてにわたって求めている。いいかえれば空間を愛で尽くそうとしている。「数寄」は、まさにその余白の美とつながっている。

透いて漉いて、鋤いて空いていくことである。そのうえで好いていく。（松岡正剛『日本数寄』）

あるいは、

何かを好きになり、その好きになったことに集中し、その遊び方に独特の美を感知しようとしていくこと。（松岡正剛『日本文化の核心』）

「透いて漉いて、鋤いて」いけば、空間はどんどん疎になっていく。しかし、疎であればあるほど充実していく。つまり、空いていく（シンプルになっていく）状態に充実感を抱くこと。余白観そのものであり、本書のサブタイトルにある、「ジミ」は「ハデ」なのだ。

また、吉田兼好は『徒然草』（一四世紀前半）で、やることがないから、心に浮かんだことを書き留めていたら果てしなく熱中してしまった、と綴った。「書くこと」に執着していくさまが語られる。

鴨長明（かものちょうめい）は、四畳半のスペースこそ最高に充実していると語った。ミース・ファン・デル・ローエの「Less is more（少なければより豊か）」の先取りである。何もない小さい空間こそ何にも代え難いほど贅沢な空間だというのだ。これも空間を愛で尽くしたからこそのことばだろう。ここから利休のもっと小さい二畳の茶室につながる。利休の「触感の美」も器をいとおしく愛でているときに生まれた発想だろう。

こんなふうに考えてくると、「玩物喪志」は「玩物相思」であり、日本文化全体が「玩物草紙」のように思えてくる。もっといいつのれば「玩物知新」、モノに執着することで新しきを知る、である。松岡さんがいう、「好き」の「遊び方に独特の美を感知」したともいえる。

もうひとつ「主客転倒」も日本文化に関係がありそうだ。広辞苑では、「事物の大小・軽重などを取り違えること」とある。やはりいい意味ではない。ところがかつての、畳による坐生活の日本では、突然の来訪者があったとき、自分が座っていた座布団を裏返して、自分が坐っていた上座に置き、客にそこに坐ることを勧める。まさに主客転倒である。

菅原道真（すがわらのみちざね）が謀略を企てた科で流罪となり、その地で没した。その後天変地異が続いたことから、道真が怨霊となって異変を起こしている、と道真を天満天神として祀った。怨霊から神になったのだ。主客転倒である。

本書で触れている金碧障屛画は、光り輝く金箔地と対象の絵の間を視線は行きつ戻りつする。この図と地の絶え間ない反転によって金碧画は充実する。反転に次ぐ反転の主客転倒である。

こうした主と客、遠景と近景、図と地は、対立しているのではなく、相乗効果で高め合っていくことが理想的な表現である。

ただし、世界では、二項対立でものごとを判断することが多い。古くは資本主義対共産主義、少し前は右翼対左翼、今は保守対リベラル。そして、金持ちと貧乏人。二項対立ばかりが喧伝され、相手を否定するだけで決して高め合ってはいない。浮世絵における「遠景と近景」表現には優劣があるわけではない。どちらも並び立っている表現である。

近年、「デザインの歴史探偵」を自称して、文章を紡いでいる。その中心コンセプトは、デザインにおける手法や考え方などの「はじまり」を探ることにある。本書の例でいけば、絵画の運動している様子の描き方、「奥」と「奥行き」の違い、「触感」の発見、東西のリズムの考え方の違い、影の表現、余白のはじまり、結び目の世界的展開、中心よりも周囲に目配りするレイアウトの発想、デザインの強弱のつけ方、縦という文章の組み方、である。

こうしたテーマを追っているとどうしても東西比較は避けられない。そのなかで特に重要なのは文字の形、字形と思える。アルファベット、漢字、かな、ハングル、どれをとってもその字形でイメージがなんとなく湧く。これが文化だ。

新約聖書のヨハネ福音書の冒頭には「はじめにロゴスがあった」と書かれている。「ロゴス」にはことばの意味もあるが、神や理性・論理などの意味も含まれている。宗教的な観点からいったらここはやはり「ロゴス」が最適だろう。

ところが実際の歴史は、人びとの弛まない日々の積み重ねで成り立っている。一気にできあがったわけではない。文字も多くの人びとの長い時間の試行錯誤を経て現在のようなものになった。文字成立に沿ってさまざまな文化が生まれ、そしていまも生まれ続けている。するとここは「はじめに文字があった」といいかえたくなる。

なかでも「はじめに」でも述べたように、「忖度」がうまく機能してできたひらがなは特異だ。本書では、日本文化には、そのひらがなのセンスが溢れている、と主張している。

アジア圏には円や丸みをベースとした文字がある。しかし、ひらがなは、それらとは様相を異にして、常に広がろうとするベクトルが感じられる。漢字の記憶を持つとはいえ、ひらがなの空間を縦横無尽に羽ばたきそうな流麗な線は、日本文化の臨機応変な軽さを表現しているといえる。

本書は、もともとWEBマガジン「Wireless Wire News」に一〇回にわたって執筆したものが母体となっている。日本文化論はいままで『和力』『和的』（いずれもNTT出版）の二冊を上梓（じょうし）し、どちらも現在では絶版になっている。本書はそのアップデート版である。

今回もぼくの執筆意欲をうまく采配してくれた今井章博さんと、河出書房新社で担当してくださった尾形龍太郎さん、丁寧な校閲をしてくださった校正者の方々のおかげで本になりました。感謝です。

二〇二〇年春　　松田行正

下）『『FRONT』復刻版——海軍号／満州国建設号／空軍（航空戦力）号』多川精一（監修）、平凡社、1989
215 『Per la voce (Dlja golosa)』El Lisitskij ／ Vladimir Majakovskij、Ignazio Maria Gallino、2002
216 右）『万能の天才　レオナルド・ダ・ヴィンチ』アレッサンドラ・フレゴレント、張あさ子（訳）、ランダムハウス講談社、2007
左）「Tiziano Vecellio」Wikipedia
217 『フェルメールのカメラ——光と空間の謎を解く』フィリップ・ステッドマン、鈴木光太郎（訳）、新曜社、2010
218 右）「ハンス・ホルバイン」Wikipedia
左）「アーニョロ・ブロンズィーノ」Wikipedia
219 「アンソニー・ヴァン・ダイク」Wikipedia
221 2点とも）「ヨハネス・フェルメール」Wikipedia
223 中右）「絵画芸術（フェルメールの絵画）」Wikipedia
それ以外）「ヨハネス・フェルメール」Wikipedia
225 右）『新潮美術文庫 42　ピカソ』日本アート・センター（編）、新潮社、1975
左）『現代世界美術全集 15　ブラック／レジェ』座右宝刊行会（編）、集英社、1972
226／227　すべて）『岡上淑子全作品』岡上淑子、河出書房新社、2018
230 『ab さんご』黒田夏子、文藝春秋、2013
232 上）『Pluto 001』浦沢直樹×手塚治虫、長崎尚志（プロデュース）、手塚眞（監修）、小学館、2004
下）『Pluto: Urasawa × Tezuka Volume 1』Naoki Urasawa & Osamu Tezuka、Takashi Nagasaki ／ Tezuka Productions（監修）、VIZ Media, LLC、2009
237 『『FRONT』復刻版——海軍号／満州国建設号／空軍（航空戦力）号』多川精一（監修）、平凡社、1989
238／239　すべて）『世界の文字の図典』世界の文字研究会（編）、吉川弘文館、1993
241 「床の間」Wikipedia
242 「漢委奴国王印」Wikipedia
247 『書のスタイル　文のスタイル』石川九楊、筑摩選書、2013
249 『図説　漢字の歴史　普及版』阿辻哲次、大修館書店、1989
250 「安倍晴明」Wikipedia
252 『図説　日本の漢字』小林芳規、大修館書店、1998
255 『横書き登場——日本語表記の近代』屋名池誠、岩波新書、2003
256 上2点）『基礎数学選書 18　数字と数学記号の歴史』大矢真一／片野善一郎、裳華房、1978
下）『日本の近代活字　本木昌造とその周辺』『日本の近代活字 本木昌造とその周辺』編纂委員会（編）、近代印刷活字文化保存会、2003
257 2点とも）『日本の広告美術——明治・大正・昭和　2　新聞広告・雑誌広告』東京アートディレクターズクラブ（編）、美術出版社、1967
258 上）『日本の広告美術——明治・大正・昭和　2　新聞広告・雑誌広告』東京アートディレクターズクラブ（編）、美術出版社、1967
下）『朝日新聞重要紙面の七十五年』朝日新聞社（編）、朝日新聞社、1954
259 『横書き登場——日本語表記の近代』屋名池誠、岩波新書、2003
261 2点とも）『朝日新聞重要紙面の七十五年』朝日新聞社（編）、朝日新聞社、1954
262／263 『アクロバット前夜』福永信、リトル・モア、2001
264／265 『アクロバット前夜 90°』福永信、リトル・モア、2009

148　2点とも）「「ゐのめ」とは何か——我が国における古墳時代から今日までの展開」小野瀬順一、『東北工業大学紀要　I：理工学編』第27号、2007
149　『縄文土器ガイドブック——縄文土器の世界』井口直司、新泉社、2012
151　『すぐわかるヨーロッパの装飾文様——美と象徴の世界を旅する』鶴岡真弓（編著）、東京美術、2013
152　右）「ケーリュケイオン」Wikipedia
左上）「スター・オブ・ライフ」Wikipedia
左下）「世界保健機関」Wikipedia
158　2点とも）「注連縄」Wikipedia
165　上・中）『中国の青い鳥——シノロジー雑草譜』中野美代子、平凡社ライブラリー、1994
下）『The Secret Theachings of All Ages』Manly P. Hall、Dover、2010
168／169　すべて）『異形の王権』網野善彦、平凡社ライブラリー、1993
181　右）『新潮美術文庫42　ピカソ』日本アート・センター（編）、新潮社、1975
中）『バウハウス1919-1933』セゾン美術館（編）、セゾン美術館、1995
左）『ロシア・アヴァンギャルドのデザイン——未来を夢見るアート』海野弘（解説・監修）、パイ インターナショナル、2015
182　上）『イメージの冒険3　文字』カマル社（編）、河出書房新社、1978
下）出典不明
185　すべて）「風神雷神図」Wikipedia
186　『なぜ脳はアートがわかるのか』エリック・R・カンデル、高橋洋（訳）、青土社、2019
188／189　すべて）『mondrian』John Milner、Abbeville Press、1992
190　上）「葛飾北斎」Wikipedia
右3点）「歌川広重」Wikipedia
195　右）『北斎美術館2　風景画』永田生慈（監修・執筆）、集英社、1990
左）http://art.pro.tok2.com/M/Monet/tt036.htm
198　右）「葛飾北斎」Wikipedia
左）『アサヒグラフ別冊　美術特集　特集編1　ジャポニスムの謎』朝日新聞社、1990
202　「黒い正方形」Wikipedia
203　『FROM PAINTING TO DESIGN: RUSSIAN CONSTRUCTIVIST ART OF THE TWENTIES』galerie gmurzynska（編）、galerie gmurzynska、1981
204／205　上3点）『マレーヴィチ画集』ジャン＝クロード・マルカデ、五十殿利治（訳）、リブロポート、1994
205　下）『東京大学コレクションXVIII　プロパガンダ1904-45——新聞紙・新聞誌・新聞史』西野嘉章（編）、東京大学出版会、2004
206　上右）『THE SOVIET POLITICAL POSTER 1917 / 1980』Nina Baburina, Penguin Books, 1985
上左）『RED STAR OVER RUSSIA: A VISUAL HISTORY OF THE SOVIET UNION FROM 1917 TO THE DEATH OF STALIN』David King, Tate Publishing, 2010
下）『Alexander Rodchenko: Photpgraphy 1924-1954』Alexander Lavrentiev, Knickerbocker Press, 1996
208　上）『RED STAR OVER RUSSIA: A visual history of the Soviet union from 1917 to the death of Stalin』David King, Tate Publishing, 2009
下）『エル・リシツキー——構成者のヴィジョン』寺山祐策（編）、武蔵野美術大学出版局、2005
209　上）『エル・リシツキー——構成者のヴィジョン』寺山祐策（編）、武蔵野美術大学出版局、2005

左）「ミケランジェロ・メリージ・ダ・カラヴァッジオ」Wikipedia
098　右）「源氏物語絵巻」Wikipedia
左）「西本願寺本三十六人家集」Wikipedia
099　上）「俵屋宗達」Wikipedia
下）「尾形光琳」Wikipedia
100　右）「フィンセント・ファン・ゴッホ」Wikipedia
左）「クロード・モネ」Wikipedia
102　右）「Catalan Atlas」Wikipedia
左）『地図の歴史』織田武雄、講談社、1973
104　『地図を作った人びと——古代から観測衛星最前線にいたる地図製作の歴史』ジョン・ノーブル・ウィルフォード、鈴木主税（訳）、河出書房新社、2001
105　『地図記号のうつりかわり——地形図図式・記号の変遷』日本地図センター（編）、日本地図センター、1994
116　上・中２点）「三色紙」Wikipedia
右）『カラー版　日本やきもの史』矢部良明（監修）、美術出版社、1998
117　上）『ケルズの書』バーナード・ミーハン、鶴岡真弓（訳）、創元社、2002
左）「西本願寺本三十六人家集」Wikipedia
118　「源氏物語絵巻」Wikipedia
119　上）「狩野永徳」Wikipedia
中）「俵屋宗達」Wikipedia
下）「尾形光琳」Wikipedia
121　上）「長谷川等伯」Wikipedia
左）「雪舟」Wikipedia
122　「洛中洛外図」Wikipedia
123　上）「葛飾北斎」Wikipedia
左）『アサヒグラフ別冊　美術特集　特集編１　ジャポニスムの謎』朝日新聞社、1990
126　右）「Diego Velázquez」Wikipedia
左）「エドゥアール・マネ」Wikipedia
127　「アルブレヒト・デューラー」Wikipedia
129　『ビュフォンの博物誌』ジョルジュ＝ルイ・ルクレール・ビュフォン、C・S・ソンニーニ（原編集）、荒俣宏（監修・解説）、ベカエール直美（訳）、工作舎、1991
130　「狩野永徳」Wikipedia
132／133　『プライス・コレクション——若冲と江戸絵画』東京国立博物館／日本経済新聞社（編）、日本経済新聞社、2006
133　下）https://artscape.jp/study/art-achive/1224627_1982.html
137　２点とも）『鳥山石燕　画図百鬼夜行全画集』鳥山石燕、角川ソフィア文庫、2005
139　「ジュール・シェレ」Wikipedia
140　上２点）『パリ・グラフィック——ロートレックとアートになった版画・ポスター展』フルール・ルース・ローサ・ド・カルヴァジョ（監修）、筑摩書房（編）、筑摩書房、2017
右）『世界に衝撃を与えたグラフィックデザイン——100のアイデアでたどるデザイン史』スティーブン・ヘラー／ヴェロニク・ヴィエンヌ、Bスプラウト（訳）、ボーンデジタル、2015
141　『ヤン・チヒョルト』白井敬尚（監修）、展覧会図録、DNP文化振興財団編、2013
146　上）『ハート（心臓）大全』ルイザ・ヤング、別宮貞徳（監訳）、東洋書林、2005
下）「烏天狗」Wikipedia
147　「「ゐのめ」とは何か——我が国における古墳時代から今日までの展開」小野瀬順一、『東北工業大学紀要　I：理工学編』第27号、2007

025　「キャピュシーヌ大通り（モネ）」Wikipedia
026　「エドガー・ドガ」Wikipedia
027　上）『Le temps d'un mounement: aventures et mesaventures de l'instant photographique』Centre National de la Photographie、1986
下）『表象と倒錯――エティエンヌ＝ジュール・マレー』松浦寿輝、筑摩書房、2001
028　上）「Giacomo Balla」Wikipedia
下）「Marcel Duchamp」Wikipedia
030　右）『20 世紀デザイン――グラフィックスタイルとタイポグラフィの 100 年史』トニー・セダン、長澤忠徳（監訳）、和田美樹（訳）、東京美術、2016
上）http://www.moaart.or.jp/collections/091/
031　上）『日本絵巻大成 7　餓鬼草紙　地獄草紙　病草紙　九相詩絵巻』小松成美（編）、中央公論新社、1977
左）『新編名宝日本の美術 11　信貴山縁起絵巻』千野香織、小学館、1991
032　「俵屋宗達」Wikipedia
033　『日本の装飾と文様』海野弘（解説・監修）、パイ インターナショナル、2018
034　2 点とも）「歌川広重」Wikipedia
035　『日本のデザイン（日本の意匠　新装普及版）第 12 巻　風月山水』吉岡幸雄（編著）、紫紅社、2002
040　『世界建築全集 7　西洋 II　中世』平凡社、1961
041　『建築・権力・記憶――ナチズムとその周辺』ヴィンフリート・ネルディンガー、海老澤模奈人（訳）、鹿島出版会、2009
042　上・中）「Santa Maria presso San Satiro」Wikipedia
右）『アール・ヴィヴァン叢書　空間の発見 I　ヴィアトールの透視図法 1505』横山正（監修・解説・翻訳・製図）、アール・ヴィヴァン／渡辺一夫（編）、リブロポート、1981
044　「ステンドグラス」Wikipedia
045　https://www.godiva.co.jp/about/episode.html
047　右）『世界建築全集 4　インド・東南アジア・中国・朝鮮・中南米』平凡社、1959
左）『世界建築全集 1　日本 I　古代』平凡社、1961
049　『ミステリアス・ストライプ――縞の由来』住友和子編集室／村松寿満子（編）、INAX 出版、2002
050　『ミステリアス・ストライプ――縞の由来』住友和子編集室／村松寿満子（編）、INAX 出版、2002
051　「洛中洛外図」Wikipedia
065　『図説　千利休――その人と芸術』村井康彦、河出書房新社、1989
068　『図説　千利休――その人と芸術』村井康彦、河出書房新社、1989
070　「井戸茶碗」Wikipedia
074　『松井茂短歌作品集』松井茂、photographers' gallery、2007
077　『Camouflage Volume 1』松井茂、photographers' gallery、2008
079　「大橋巨泉」Wikipedia
089　『楽譜の歴史』皆川達夫、音楽之友社、1985
092　映画『2001 年宇宙の旅』ワーナー・ホーム・ビデオ
093　『イタリア・ルネサンス絵画』サラ・エリオット、森田義之／松浦弘明（訳）、西村書店 1994
095　右）『万能の天才　レオナルド・ダ・ヴィンチ』アレッサンドラ・フレゴレント、張あさ子（訳）、ランダムハウス講談社、2007
左）『gq No.1』、ジイキュウ出版社、1972
096　右）「モナリザ」Wikipedia

な書房、1993
『進歩とカタストロフィ――モダニズム　夢の百年』多木浩二、青土社、2005
『秘密の知識――巨匠も用いた知られざる技術の解明』デイヴィッド・ホックニー、木下哲夫（訳）、青幻舎、2006
『フェルメールのカメラ――光と空間の謎を解く』フィリップ・ステッドマン、鈴木光太郎（訳）、新曜社、2010
『20世紀ロシア文化全史――政治と芸術の十字路で』ソロモン・ヴォルコフ、今村朗（訳）、沼野充義（解説）、河出書房新社、2019
『絵を見る技術――名画の構造を読み解く』秋田麻早子、朝日出版社、2019

十章　縦

『日本のかたち縁起――そのデザインに隠された意味』小野瀬順一、彰国社、1998
『アクロバット前夜』福永信、リトル・モア、2001
『横書き登場――日本語表記の近代』屋名池誠、岩波新書、2003
『縦に書け！――横書きが日本人を壊（こわ）している』石川九楊、祥伝社、2005
『日本語とはどういう言語か』石川九楊、中央公論新社、2006
『図説　中国文化百華001　漢字の文明 仮名の文化――文字からみた東アジア』石川九楊、農文協、2008
『和の思想――異質のものを共存させる力』長谷川櫂、中公新書、2009
『アクロバット前夜90°』福永信、リトル・モア、2009
『和的――日本のかたちを読む』松田行正、NTT出版、2013
『日本人と漢字』笹原宏之、集英社インターナショナル、2015

おわりに

『日本数寄』松岡正剛、春秋社、2000
『日本文化のの核心――「ジャパン・スタイル」を読み解く』松岡正剛、講談社現代新書、2020

図版引用元リスト

表紙1／小口　『新編名宝日本の美術11　信貴山縁起絵巻』千野香織、小学館、1991
表紙4／小口　『日本のデザイン（日本の意匠　新装普及版）第12巻　風月山水』吉岡幸雄（編著）、紫紅社、2002
017　『マンガの描き方――似顔絵から長編まで』手塚治虫、光文社知恵の森文庫、1996
018　上3点）『赤塚不二夫自撰ベスト傑作集　メモリアル天才バカボン　これでいいのだ！バカボンファミリー大活躍編』赤塚不二夫、講談社、2008
下2点）『手塚治虫漫画全集281　新宝島』手塚治虫、講談社、1984
020　上）『ヒトはなぜ絵を描くのか』中原佑介（編著）、フィルムアート社、2001
中）出典不明
下）『美術の始源』木村重信、新潮社、1971
021　『アート・ギャラリー　現代世界の美術18　ダリ』岡田隆彦（責任編集）、集英社、1986
022　『イタリア・ルネサンスの巨匠たち18　レオナルド・ダ・ヴィンチ』ブルーノ・サンティ、片桐頼継（訳）、東京書籍、1993
023　「ヨハネス・フェルメール」Wikipedia
024　上）『アート・ライブラリー　ターナー』ウィリアム・ゴーント、荒川裕子（訳）、西村書店、1994
下）「クロード・モネ」Wikipedia

五章　影

『地図の歴史』織田武雄、講談社、1973
『et（エ）——128件の記号事件ファイル』松田行正、牛若丸、2008
『線の冒険——デザインの事件簿』松田行正、角川学芸出版、2009
『日本人にとって美しさとは何か』高階秀爾、筑摩書房、2015
『デザインってなんだろ?』松田行正、紀伊國屋書店、2017
『RED——ヒトラーのデザイン』松田行正、左右社、2017
『雑品屋セイゴオ』松岡正剛、春秋社、2018
『世界史を変えた新素材』佐藤健太郎、新潮選書、2018
『ぼくと数学の旅に出よう——真理を追い求めた1万年の物語』ミカエル・ロネー、山本和子／川口明百美（訳）、NHK出版、2019

六章　余

『東洋のかたち——美意識の探究』木村重信、講談社現代新書、1975
『型の日本文化』安田武、朝日選書、1984
『和の思想——異質のものを共存させる力』長谷川櫂、中公新書、2009
『時の冒険——デザインの想像力』松田行正、朝日新聞出版、2012
『怪異考／化物の進化——寺田寅彦随筆選集』寺田寅彦、中公文庫、2012
『日本人にとって美しさとは何か』高階秀爾、筑摩書房、2015
『芸術と科学のあいだ』福岡伸一、木楽舎、2015
『名画の暗号』西岡文彦、角川書店、2015

七章　結

『現代政治の思想と行動』丸山眞男、未來社、1964
『中空構造日本の深層』河合隼雄、中公文庫、1999
『眼の冒険——デザインの道具箱』松田行正、紀伊國屋書店、2005
『双書 時代のカルテ　失われた書を求めて』石川九楊、岩波書店、2006
「「ゐのめ」とは何か——我が国における古墳時代から今日までの展開」小野瀬順一、『東北工業大学紀要　I：理工学編』第27号、2007
『はじまりの物語——デザインの視線』松田行正、紀伊國屋書店、2007
『和力——日本を象る』松田行正、NTT出版、2008
『PEEK-A-BOOK——たのしい知識』松田行正、牛若丸、2012
『和的——日本のかたちを読む』松田行正、NTT出版、2013

八章　周

『異形の王権』網野善彦、平凡社ライブラリー、1993
『ひらがなの美学』石川九楊、新潮社、2007
『中世の非人と遊女』網野善彦、講談社学術文庫、2005
『眼の冒険——デザインの道具箱』松田行正、紀伊國屋書店、2005
『和的——日本のかたちを読む』松田行正、NTT出版、2013
『九楊先生の文字学入門』石川九楊、左右社、2014
『ジャポニスム——幻想の日本』馬渕明子、ブリュッケ、2015
『なぜ脳はアートがわかるのか』エリック・R・カンデル、高橋洋（訳）、青土社、2019

九章　張

『東洋のかたち——美意識の探究』木村重信、講談社現代新書、1975
『描写の芸術——一七世紀のオランダ絵画』スヴェトラーナ・アルパース、幸福輝（訳）、あり

参考文献

はじめに
『「縮み」志向の日本人』李御寧、学生社、1982
『和力——日本を象る』松田行正、NTT 出版、2008
『和の思想——異質のものを共存させる力』長谷川櫂、中公新書、2009
『あの戦争と日本人』半藤一利、文藝春秋、2011
『数学用語と記号ものがたり』片野善一郎、裳華房、2003

一章　動
『東洋のかたち——美意識の探究』木村重信、講談社現代新書、1975
『はじまりの物語——デザインの視線』松田行正、紀伊國屋書店、2007
『和力——日本を象る』松田行正、NTT 出版、2008
『速度びより』松田行正、牛若丸、2010
『俵屋宗達——琳派の祖の真実』古田亮、平凡社新書、2010
『すぐわかるヨーロッパの装飾文様——美と象徴の世界を旅する』鶴岡真弓（編著）、東京美術、2013
『眼脳芸術論』深作秀春、生活の友社、2015
『日本の装飾と文様』海野弘（解説・監修）、パイ インターナショナル、2018

二章　奥
『日本のかたち縁起——そのデザインに隠された意味』小野瀬順一、彰国社、1998
『人類と建築の歴史』藤森照信、ちくまプリマー新書、2005
『はじまりの物語——デザインの視線』松田行正、紀伊國屋書店、2007
『日本人にとって美しさとは何か』高階秀爾、筑摩書房、2015

三章　触
『美術の始源』木村重信、新潮社、1971
『東洋のかたち——美意識の探究』木村重信、講談社現代新書、1975
『はじまりの物語——デザインの視線』松田行正、紀伊國屋書店、2007
『線の冒険——デザインの事件簿』松田行正、角川学芸出版、2009
『紙　二千年の歴史』ニコラス・A・バスベインズ、市中芳江／御舩由美子／尾形正弘（訳）、原書房、2016
『紙の世界史——歴史に突き動かされた技術』マーク・カーランスキー、川副智子（訳）、徳間書店、2016
『千利休——切腹と晩年の真実』中村修也、朝日新書、2019

四章　律
『添う文化と突く文化——日本の造形様式』外村直彦、淡交社、1994
『日本語のリズム——四拍子文化論』別宮貞徳、ちくま学芸文庫、2005
『はじまりの物語——デザインの視線』松田行正、紀伊國屋書店、2007
『松井茂短歌作品集』松井茂、photographers' gallery、2007
『Camouflage Vol. I』松井茂、photographers' gallery、2008
『和力——日本を象る』松田行正、NTT 出版、2008
『あの戦争と日本人』半藤一利、文藝春秋、2011
『時の冒険——デザインの想像力』松田行正、朝日新聞出版、2012

松田行正（まつだ・ゆきまさ）
1948年静岡県生まれ。中央大学法学部卒業。グラフィック・デザイナー。デザインの歴史探偵。「オブジェとしての本」を掲げるミニ出版社、牛若丸主宰。『眼の冒険』（紀伊國屋書店）で第37回講談社出版文化賞ブックデザイン賞受賞。著書に、『デザインってなんだろ?』（紀伊國屋書店）、『RED』『HATE!』『急がば廻れ』（左右社）、『デザインの作法』『独裁者のデザイン』（平凡社）ほか多数。http://www.matzda.co.jp/

ブックデザイン　松田行正
デザイン協力　杉本聖士+倉橋弘
編集協力　今井章博

にほん的

それは、ジミでハデなこと

2020年5月20日　初版印刷
2020年5月30日　初版発行

著　者　松田行正
発行者　小野寺優
発行所　株式会社河出書房新社
〒151-0051　東京都渋谷区千駄ヶ谷2-32-2
電話　(03) 3404-1201［営業］(03) 3404-8611［編集］
http://www.kawade.co.jp/
印　刷　株式会社暁印刷
製　本　加藤製本株式会社

Printed in Japan
ISBN978-4-309-25658-0